「家飲みビール」はなぜ美味しくなったのか?

コテコテ文系も学べる日本発の『最先端技術』

坂田薫

ワニブックス
|PLUS|新書

はじめに

みなさんは、化学や科学系のニュースを楽しんで読むことができていますか？

きっと、多くの方にとって、「読んでも難しくてよくわからない」というのが本当のところではないでしょうか。それもそのはず。最先端の研究なんて、軽く読んだくらいで理解できるものではないからです。専門用語だらけですしね。だからでしょうか、そうした最先端の研究に関する情報は、ニュース番組でも軽く流される程度で、きちんと解説が付くのはノーベル賞を受賞したときくらいのものです。

ニュース番組のコメンテーターを経験し、その現状を目の当たりにした私は「もったいない!!」と声をあげずにはいられませんでした。研究の内容をきちんと理解できればワクワクできるはずなのに！　なぜなら、それら研究の内容は、まるでSF映画を観ているかのように、未来の世界を想像させてくれるのですから。エレベーターに乗って宇宙旅行へ行ったり、走行中の自動車が勝手に充電されていたり、手の甲に貼ったディスプレイにあなたの今の生体情報や愛する人からのメッセージが表示されたり……これらは、映画ではなく、実現に向け動き始めている日本の科学（化学）技術なのです。

そして、これらの研究をおこなっている研究者は、ひとつのことを根気強く追究し、それを楽しんでいます。何度失敗を繰り返しても諦めず、前に進み続けているのです。その原動力は、いったいどこから来ているのでしょうか。この本では、日本の研究だけでなく、それらをおこなう研究者についても触れています。きっと、みなさんが生きていく上で参考になる言葉やエピソードが見つかるはずですよ。私自身、研究者の方々の言葉や姿勢から、たくさんのことを学びました。人生の教訓となっている言葉もあります。

「そうは言っても、最先端の研究の内容や研究者の言葉なんて、どうせ難しいんでしょう？」と思ったあなた。みなさんが、途中で投げ出したくならないよう「わかりやすさ」にこだわって、化学講師の私が魂を込めて書きました。コテコテ文系の人も大歓迎です！明日から人に話したくなる雑学のコーナーも付いていますよ。

どうか、ビールでも飲みながら、気楽に楽しんで読み進めてください。え？「そういえば、最近、家で飲むビールがうまくなった気がする」って？そりゃ、そうでしょうね。そこにも日本発の最先端技術が使われているのですから。

目次

「家飲みビール」はなぜ美味しくなったのか？

『コロナ直撃のビール業界、缶に活路　想定外の人気商品も』

（2021/4/12朝日新聞）

ビール各社が「家飲み」用の商品を強化している。新型コロナ禍による外出自粛や時短営業で、主力の飲食店向けが苦戦する一方、巣ごもり需要が高まっているからだ。健康志向に対応したり、泡や味わいを「お店」に近づけたりして販売を底上げしたい考えで、競争も激しくなっている。

□抗生物質などの構造解明に使う「X線解析法」を活用

□結晶スポンジを使ってビールの苦味成分を解明し、より美味しく

□注目されない基礎研究を継続した結果ノーベル賞候補にも！

ビールは居酒屋で飲むからうまい？

「仕事終わりのビールはうまい!!」というセリフを、居酒屋ではなく自宅で言うのが当たり前になったコロナ禍。緊急事態宣言により多くの飲食店が20時までの時短営業となり、いわゆる「家飲み」が仕事終わりの定番となりました。

そんな中、居酒屋で飲むからうまいはずだったビールが、家で飲んでも意外にうまいと感じた人も多かったのではないでしょうか。実は、それらビールの研究にも日本発の最先端技術が利用されています。その技術とは、**２０１３年に東京大学卓越教授の藤田誠博士らによって開発された「結晶スポンジ法」です。**

研究開発で最も重要なこと

化学物質の中には、右手と左手のような関係にあるものが存在します。右手と左手は、ぱっと見では同じですがまったくの別物ですよね。向き合う（手のひらを合わせる）とピタッと重なりますが、同じ方向を向く（両手の甲を自分のほうに向ける）と重なりません。右手と左手は、親指や人差し指など同じパーツから構成されていますが、構造が異なるのです。このように、右手と左手のような関係にある化学物質は、同じに見えても、実際は立体構造が異なり、その一方だけが特別な性質を持っていることがあります。

例えば、「グルタミン酸」という物質にも、右手と左手の関係にある2つが存在しますが、一方だけが旨み成分としての性質をもっています。誰でも簡単におふくろの味を再現できる『味の素《もと》』で有名ですね。ちなみに、右手と左手の関係にある2つのうち自然界に存在する多くは、特別な性質を持っているほうです。

このように、同じ物質でも立体構造の異なるものが存在し、その一方のみが医薬品や調味料として利用できることがあるため、新薬を開発したり、調味料や加工食品を作ったり、自然界の物質について調べるなどの研究において、「構造を知ること」は非常に重要な工程なのです。

しかし、研究者は化学物質の構造を肉眼でとらえることはできません。化学物質があまりにも小さすぎるためです。例えば、医薬品などの化学物質は「分子」という粒子で存在しますが、分子1個の大きさには「ナノメートル（nm）」という単位が使われます。「ナノ」とは「10億分の1」を表すため、1ナノメートルは1メートルの10億分の1ということです。想像するのをあきらめてしまうくらい、とにかく小さい！　そんなに小さい「ナノ」の世界を、人間は当然、自身の目で覗くことはできません。

そこで、研究者は数々の実験をおこない、データをかき集め、そこから分子の構造を決定したり予想したりします。研究開発において、この過程にかなりの時間と労力を割くことになるのです。

X線解析法とその問題点

化学物質を構成している粒子（以下、分子とする）の構造を決定する方法で、最も信頼できるものに**「X線解析法」**があります。

対象となる物質にX線を照射することで、分子の構造を詳細に割り出すことができるので、抗生物質や人工甘味料など多くの分子の構造解明に利用されています。

しかし、この方法を使うには、対象となる物質がある条件を満たしている必要があります。**その条件とは「美しい結晶であること」です。**結晶とは「分子が規則正しく配列している固体」のこと。ゴルフボールが等間隔で美しく並んでいる空間をイメージしてみてください。ゴルフボールが分子、空間全体が結晶です。

しかし、これだけではまだX線解析はできません。X線解析をおこなうためには、分子が規則正しく配列していることに加え、それら分子がすべて同じ方向を向いている必要があるのです。先ほどの例えを使うなら、ゴルフボールが規則正しく並んでいるだけではなく、**ゴルフボールに印字してあるメーカーのマークがすべて同じ方向を向いていなくてはならないのです。**

物質によっては、この美しい結晶を作るのに膨大な時間を要します。年単位の時間をかけても美しい結晶を作るのが困難な物質や、そもそも油状にしかならない（固体にならない）物質も存在します。また、自然界から抽出する物質など、サンプルが微量（1mgに満たない）しか入手できないときも結晶化が困難です。当然、これらの場合にはX線解析法は使えません。この問題は「X線解析の100年問題」といわれ、研究者を悩ませてきました。これを解決したのが「**結晶スポンジ法**」なのです。

結晶スポンジ法とは

「結晶スポンジ」とは、ジャングルジムのような規則正しい空間をもっている大きな粒子です。美しい結晶を作るのが困難な物質、すなわちX線解析法が使えない物質をこの結晶スポンジに流し込むと、分子が同じ方向を向いた状態で規則正しい空間に取り込まれ、美しい結晶のように並ぶのです。

これにより、今まで長い年月をかけて美しい結晶にしていた物質や、結晶にできなかった物質が、**結晶スポンジに流し込むだけでX線解析が可能となりました。**

それだけではありません。結晶スポンジを利用すると、サンプルを結晶化する必要がないため、少量しか入手できない物質でもX線解析をおこなうことができます。実際、従来の1000分の1程度の量でもX線解析が可能となりました。食洗機を使うと無駄がないため、手洗いに比べて使用する水が激減するようなものです。

この結晶スポンジ法により、今まで構造がわからなかった分子の構造を決定したり、予想していた構造が間違っていることが判明したりと、２０１３年の発表からわずか数年で様々な分野で威力を発揮したのです。

ビールが美味しくなった理由

そして、結晶スポンジ法はビールの研究にも取り入れられました。ビールの苦味成分はビールを保存しているあいだにさまざまな物質に変化しますが、それらの多くは未解明で一部のみが突き止められていました。しかも、その立体構造は推定されている状態にとどまっていました。「苦み成分は、どんな物質に変化しているのか」「いったい、なぜ、苦みが変化するのか……」。これはビールが何百年も飲まれているにも関わらず解明できていない謎だったのです。

しかし、結晶スポンジ法により、変化した後の13種類の物質を特定。そしてその構造も明らかになったのです。しかも、短期間で！

キリンホールディングス株式会社で結晶スポンジ法を使ったビールの研究をおこなう谷口慈将博士によると、変化したあとの物質を特定できたことで、苦み成分がどのような反応で変化していくかが判明。その反応を制御し**「苦味成分が変化する前の新鮮な状態を保つことが可能になる」**といいます。

その結果、長期間保存しても、新鮮な苦みを楽しめるビールができるだけでなく、狙った苦みを作り分けることなどの応用も期待できます。

さらに今後、結晶スポンジ法は苦み成分以外の解明にも利用され、より美味しく、より高品質なビール作りに役立てられるといいます。ここまで研究されたら、そりゃビールも美味しくなるわけですよね！

そして現在、結晶スポンジの種類も増え、常温で気体のものや爆発性を持つものなど、今まで困難とされていた物質のX線解析も可能になりました。

また、構造が決定された物質のなかには創薬や新素材の開発につながるものもあり、今後、医薬品や食品、農薬、化粧品だけでなく科学捜査などへの貢献も大いに期待されています。

すべての技術の根本にあるもの

結晶スポンジ法を開発した藤田誠博士は、日刊工業新聞社のインタビューで次のように述べています。

「近年、基礎研究をないがしろにする傾向にあると感じる。研究を知らない人はやっても意味がないと思うのだろう。AIやエネルギー、量子コンピューターなど、目立つ分野にしか目が届かず、自分がわかるところしか見ない。だが、今注目されている分野も、半世紀前からの基礎研究の積み重ねがあったからこその応用だ」。

結晶スポンジも例外ではありません。藤田博士は最初から結晶スポンジに焦点を当てて研究されていたわけではなく、自然界に見られる自己集合（分子が自発的に形を作る現象）を利用した分子の合成方法の研究に取り組んでいました。その研究の先に結晶スポンジがあったのです。

結晶スポンジ法の開発により、藤田博士は様々な賞を受賞されましたが、近年、ノーベル化学賞受賞候補として取り上げられ、大きく注目されることになりました。

どんな技術も、応用され実用化の段階になって初めて注目されます。そこにたどり着くまでの基礎研究のほとんどは注目されることなく、ときに否定され、国や企業の投資対象にもなりにくいため、十分とは言えない予算のなかで地道に進められていきます。

その、出口の見えない日々の支えとなっているのは、研究者としてのプライド、「未来につながる」という確信、そして強い信念だと、研究者の方々とのお話から私は感じています。そして**「この地道な基礎研究から生まれた様々な技術の上に、私たちの便利で豊かな生活があるのだ」**ということを忘れずにいることが、研究者の方々や研究開発を盛り上げていく力につながると信じています。

藤田博士の研究から生まれた結晶スポンジ法は、世界中の合成研究のスタイルを大きく変化させています。

そして、その影響は私たちの生活にも少しずつ現れてくることでしょう。仕事終わりのビールが今までより少し美味しく感じたように。

坂田薫の"明日から使える"化学雑学講座

「ビールの魅力『のどごし』ってなんなの？」

「のどごし」は人の感覚なので、測定したり具体的に説明するのは困難だと思いますよね。そう思って調べてみると、「のどごし」が日本語特有の表現なだけあって、日本のビール会社が研究していました！

その研究とは、「ゴクッ」と飲んだときの、のどの筋肉の動きと周波数を解析するというものです。その結果、「のどごしが良い」と言われる飲み物を飲んだときは、のどの筋肉の運動が比べて少ないことがわかりました。のどの筋肉をできるだけ使わずに飲めるものが「のどごしが良い」ということになりますね。

ちなみに、水では、硬水より「軟水」、炭酸なしの水より「炭酸水」、常温の水より「冷水」のほうが、のどごしが良く、味では「酸味」ののどごしが良いようです。

このように、今まで感覚でしかとらえられなかったものを評価できるのも、科学の素晴らしいところですね。

そういう私は、「先生、めっちゃお酒好きそう」と言われますが、お酒も炭酸も苦手なため、ビールなんてとても手が出せません。日々、のどごしの悪いコントレックス（超硬水）を浴びるように飲んでいます。

超正確な光格子《ひかりこうし》時計は「相対性理論」を日常空間で実証可能

『スカイツリー展望台、10億分の４秒速く　東大など観測』

（２０２０／４／７日経新聞）

高さ４５０メートルの東京スカイツリー展望台の時間は地上よりも１日に10億分の４秒（４ナノ秒）速く進んでいることを超精密時計「光格子時計」の観測で確かめたとする論文を、香取秀俊東大教授（量子エレクトロニクス）らが６日付ネイチャーフォトニクス電子版で発表した。

□相対性理論による現象は、「運動」「重力」により時間の遅れが生じる
□超正確な光格子時計なら相対性理論に基づく現象を日常空間で実証可能
□時計の高精度化により、地震や火山活動が予知できるかも！

あなたの1秒と私の1秒は長さが違う？

「あなたの1秒と私の1秒は長さが違うの」なんて言われたら、受け入れられますか？そんなの、なかなか受け入れられないですよね。だって、「1秒」は同じ「1秒」ですから。どこにいても1秒の長さはみんな平等。オフィスにいても、電車に乗っていても、富士山の頂上にいても、違う国にいても……ずっと、そう信じられていました。

しかし、それは間違っていると唱えた人がいます。アルベルト・アインシュタイン博士です。その名前はもちろん、お茶目に舌を出した写真はあまりにも有名ですよね。あと、「相対性理論」という言葉も。

アインシュタイン博士によって唱えられた「相対性理論」は、それまでの時間の概念を大きく覆すものでした。しかし、多くの人にとって相対性理論の内容は一見ややこしく、また、実感する機会もありません。むしろ、相対性理論なんて考えないほうが生きやすく「相対性理論はフィクションの世界のようなもの」「物理学者にとっては大切だろうけど、そうでない私には関係のない話」と切り離してしまっている人が多いのではないでしょうか。しかし、みなさんにとって相対性理論は、本当に、関係のない話なのでしょうか。毎日のように、スマホ片手にグーグルマップを利用しているのに？　どこに行くにもカーナビ頼りなのに？

すでに、私たちの生活は相対性理論の恩恵を受け、豊かになっているのです。それでも、「目に見えない」「実感できない」話は、なかなか受け入れられませんよね。

そんな、日常生活では実感できない「相対性理論（一般相対性理論）」の実験を、東京の下町にあるスカイツリーでやってのけた日本人博士がいます。博士は「地上にいる人の1秒より、スカイツリーの展望台にいる人の1秒のほうが相対的に短い」と証明してみせたのです。

博士が用いたのは「光格子時計」。未来の日本では、この時計を使い、「学校の教室で」子供たちに相対性理論を見せているかもしれません。それだけではありません。**地震の予知だって可能になるかもしれないのです**。そして、今の私たちには想像できない使い道で人々の生活に関わっている可能性だって、十分にあるのです。

車の中で大きな地図を広げていた時代にカーナビが現れたときのような衝撃が、きっと、みなさんの未来にやってきますよ。それでは、一緒にその世界を覗いてみましょう。

「時間の遅れ」はSF映画の中だけの話ではない

『インターステラー』のようなSF映画だけでなく、『浦島太郎』や『ウルトラマンメビウス』などのストーリーにも登場する「時間の遅れ」。違う星に行って地球に戻ってくると、地球では思った以上に時が進んでいた（その星では地球より時間が遅れていた）というやつです。ワクワクしますよね。これらは空想の世界の話だからこそ、すんなりと受け入れて楽しむことができるのかもしれません。

しかし、「時間の遅れ」は空想の世界だけの話ではなく、現実の世界にもあるのです。では、現実の世界での「時間の遅れ」とはどんなものなのでしょうか。アインシュタイン博士の「相対性理論」から導かれる現象は、次の2つです。

①動いている物体は、止まっている物体と比べて時間がゆっくり流れる
②重力の強い場所は、重力が弱い場所と比べて時間がゆっくり流れる

この2つは本当に成立するのでしょうか。もし、成立しているなら「歩いているあなたと、立ち止まっている私では、あなたのほうが時間がゆっくり流れている（時間が遅れている）」はずです。

また、地上から離れるほど重力は小さくなるので、「ビルの2階にいるあなたと、1階にいる私では、私のほうが時間がゆっくり流れている（時間が遅れている）」はずです。当たり前ですが、こんなの、日常のなかで実感したことはありませんよね（「重苦しい空気の会議の1秒は長く、彼女と過ごす休日の1秒は短い」といった感覚的なものではありませんよ）。

私たちが、こうした「時間の遅れ」を実感できないのには理由があります。それは、「人が歩く程度の速さ」や「高低差数m程度の重力の差」で生じる「時間の遅れ」は、測定するのも困難なほど極めて小さい数値だからなのです。

現在、世界の「1秒」を決めている最も精密な時計である「原子時計」は、なんと、3000万年に1秒しか狂わない精度で時を刻んでいます。

この原子時計を使っても、日常レベルの「時間の遅れ」を測定することができないのです。そんな、ごくごくわずかな「時間の遅れ」を私たちが体感できるわけがありませんよね。

「じゃあ、どのくらいの運動速度や高低差があれば、時間の遅れを測定できるのさ?」と思ったあなた。例えば高低差の場合。時間の遅れを高精度に測定するためには、従来では「高低差約1万km」が必要でした。そうです! なんと、宇宙スケール! 人工衛星やロケットに原子時計を搭載して、実験していたのです。

しかし、従来の1万倍以上少ない高低差、すなわち日常レベルでの「時間の遅れ」を測定可能にした時計が日本で開発されました。それが**「光格子時計」**なのです。

スカイツリーの展望台と地上との時間差はどのくらい?

光格子時計は従来の原子時計よりもさらに精度が高く、300億年に1秒しか狂いません! 「……なにそれ?」ですよね。わかります。すごすぎて、驚くのを通り越して途方に暮れる感じでしょうか。この光格子時計を使うと、「人が歩く程度の速さ」や「高低差数cm程度」で生じる「時間の遅れ」も測定可能だとか。

実際に「スカイツリーの展望台と地上の高低差における時間の遅れ」を測定したのが冒頭のニュースです。

スカイツリーの展望台と地上それぞれに光格子時計を設置し、2台の時計の進み方の違いを断続的に測定しました。その結果、地上のほうが「1日あたり10億分の4秒」時間が遅れていることがわかったのです！　再び、「……なにそれ？」ですよね。わかります。相対性理論を実証したのはすごいけど、「1日あたり10億分の4秒」の遅れなんて、正直、どうでもいいですよね。では、いったい何のために、これほどまで小さい「時間の遅れ」を測定する必要があるのでしょうか。

時間を正確に知ることの意味

実は、スカイツリーの実験結果には続きがあります。「展望台と地上では、地上のほうが1日あたり10億分の4秒遅れている」という結果を、展望台と地上の高低差に換算。

そこから、地上と展望台の標高差を約４５２・６ｍと導いたのです。これは、国土地理院が測量した展望台の高さともほぼ一致していたのです。

みなさん、ハッとしましたか？ そうです。時間の遅れを精密に知ることで、精密な標高差を知ることができるのです。すなわち、**「時間を知ることは空間を知ること」**とも言えるでしょう。光格子時計を開発した東京大学教授・香取秀俊博士は、一般社団法人量子ＩＣＴフォーラムのインタビューで次のように述べています。

「光格子時計は、地球の柔らかさを見る時計とも言える。例えば、数１００㎞離れた２地点で１㎝程度の地表の変動を１時間ごと知れるセンサーは今までなかった。**光格子時計は新しい測地の道具として、地震学、火山学に大いに貢献できるだろう**」

光格子時計を使うと、地表のわずか数㎝の変化も知ることができるため「ここ数時間で山腹が１㎝隆起した」など、火山噴火や地震の予測に利用できるのです。

その他にも、地下に比重の大きい鉱脈があれば地上の重力は大きくなる、すなわち時間の遅れが大きくなるため、それを測定できれば、地下資源の探査も可能になるのだとか。精密な時間を測定する意味、おわかりいただけたでしょうか。

GPSの精度が1万倍改善？

すでに、私たちの生活に必要不可欠なものとなった「GPS（Global Positioning System）」。目的地までの道案内、お友達との待ち合わせなど、毎日のように利用しているのではないでしょうか。GPSが正確な位置情報をリアルタイムで把握できる理由は、精密な時計である「原子時計」と「相対性理論」です。

高度約2万kmで地球の周りを回っている約30基のGPS衛星。これら衛星には原子時計が搭載されており、精密な時刻と正確な軌道上の位置を発信しています。その電波をスマホに内蔵されているアンテナで受信。衛星が発した電波をスマホが受信するまでにかかった時間から、衛星との距離が導かれます。例えば、電波の速度が時速30万km、受信するまでの時間が0.1秒なら、衛星とスマホの距離は「30×0.1＝3万km」といった具合です。

このように、衛星とスマホの距離がわかると、スマホの場所はあるエリアに絞り込まれます。これを衛星3基同時におこない、絞り込まれた3つのエリアの交点がスマホの場所と特定できるのです。ただし、スマホの時刻を正確な時刻にするため、4基目の衛星の電波で原子時計の時刻と合わせています。

ここで、大切なのが相対性理論。衛星は「高度2万kmのところにあるため、重力が小さく、地上より時間の進みが早い」「秒速約3.9kmで動いているため、静止しているものより時間の進みが遅い」という2つの影響が出てしまいます。よって、GPS衛星はそれらをきちんと補正しているのです。

そこまでするのは、衛星の時刻情報が100万分の1秒違うだけで、地上では300mもの誤差になるためです。相対性理論による「時間の遅れ」を補正しないと、GPSの位置情報は毎日10km以上ズレてしまうのだとか。それでは使い物にならないですね。

言い方を変えれば、より精密な時間がわかれば、GPSの精度も上がるということです。実際に、現在の原子時計よりも精密な光格子時計が導入されれば、GPSの精度は1万倍改善されるといいます。

未来の私たちの生活は、想像を超えるものになっていそうですね。みなさんには見えますか？　日常の中に光格子時計が取り入れられた、未来の世界。

どうやって精密に時間を測定するのか

こんなにも精密に時間を測定できる、光格子時計。いったい、どんな仕組みなのでしょうか。時計には「砂時計」や「振り子時計」、「クォーツ時計」など様々な種類がありますが、それらに共通している「時間を測るために利用しているもの」は何かわかりますか？

正解は**「周期的な運動をしているもの」**です。例えば、振り子時計では振り子、クォーツ時計では加工を施した水晶（電圧をかけます）が一定の周期で振れることを利用しています。そして、「時間を測定する」というのは、1秒に振動する数（振動数）を数えることに相当します。例えば、振動数1の振り子時計は、1回振動すると1秒。振動数2の振り子時計は2回振動したら「1秒」と測定できるのです。

見方を変えると、振動数1の振り子時計では「1秒」単位でしか測定できませんが、振動数2の振り子時計では「0.5秒」を知ることができます。そうです！　**振動数が多いものを利用すれば、より精密な時間を測定できるのです。**

現在、世界の1秒を決めている原子時計に使われている「セシウム」という原子の振動数は91億9263万1700回！　そして、光格子時計に使われている「ストロンチウム」という原子の振動数は、なんと429兆2280億4222万9873・4回!!

精密な時計であるのが、なんとなくイメージできたでしょうか。

「振動数が異常に多くて精密なのはわかったけど、ストロンチウムが429兆回振動！とか、正確に数えられんの？」と思ったあなた。その通りです。ここが難しい。振動数を正確に数えるには、原子が動き回らないようにしなくてはいけません。

かつ、たった1個の原子の振動数を数えるだけでは正確とはいえません。たくさんの原子の振動数を数え、その平均値を用いる必要があるのです。300億年に1秒の誤差の時計を作りたい場合、必要なデータは、なんとストロンチウム原子100万個分!!

たくさんの原子の振動数を1つずつ数えるのは、相当な時間が必要です。また、一度にたくさんの原子を集めて、一度に数えてしまおうとすると原子同士がぶつかったり、お互いに影響を及ぼしたりと、なかなかうまくできません。

それを解決したのが香取秀俊博士が開発した「光格子時計」なのです。博士は、特殊な波長のレーザーで「光格子」を作りました。これは、スーパーで売られている卵のパックのようなイメージで、卵が入る部分に原子を1つずつ閉じ込めることができます。こうすると、原子同士がぶつかることも、お互いに影響を及ぼすこともなく、1度にたくさんの原子の振動数を数えることができるのです。1度に100万個測定すれば、たった1秒で測定終了ですね。

私たちの想像を超える未来

香取博士は先述のインタビューで次のように述べています。

「教室にいながら相対論（相対性理論）の効果を実感できる。**そうして育った子供たちはきっと、私たちでも思いつかないような新たな発想で（光格子時計の）活用法を見出すはず**。その未来が楽しみです」

今までの私たちは、アインシュタイン博士の相対性理論を受け入れることが、なかなかできませんでした。なぜなら、学校で学んでも、数式を見ても、実際に実感できないからです。しかし、学校の教室で相対性理論による現象を見て育てば、「あなたの1秒と私の1秒は長さが違うの」と言われたら「当然だね。君は地上で、僕は高層ビルの最上階にいるのだから」と答えられますよね。

小型化や長寿命化などの課題があるため、光格子時計を子供たちが教室で見るのは、もう少し先になりそうですが、博士の言葉にあるように、相対性理論の効果を実感して育った子供たちがどんな未来を作るか、楽しみですよね。いつの日か、豊かな発想力で、私たちが「映画の世界の中だけ」と割り切っているものを実現させているかもしれません。

坂田薫の〝明日から使える〟化学雑学講座

「うるう年は何を調整しているの？」

小学校で「地球は太陽の周りを1年かけて一回りしている」と学校で習いましたよね。1年は365日。しかし、地球の公転は正確には365日ではありません。365・2422日で1周しています。ということは、1周したら1年（365日）と決めていたら4年後、地球は太陽の周りを4周したことになりますが、実際は

「365.2422×4=1460.9688日」

すなわち、ほぼ「４年＋１日」が経っています。この「＋１日」を調整しているのがうるう年なのです。

「正確には１４６０・９６８８日であって、１４６１日じゃないから、４年に１回『＋１日』してたら、やりすぎになるんじゃない？」と思ったあなた。鋭いですね。その通りです。正確には「＋０・９６８８日」のところを「＋１日」にしているので、「＋０・０３１２日」分の誤差が生じ、４００年で「＋約３日」余剰になります。

そこで、それを調整するために４００で割り切れない１００の倍数の年は、うるう年ではなく平年になります。次は２１００年がそれに相当しますね。

今、これを書きながら「忘れないようにしないと‼」と思いましたが、２１００年は今から約80年後。これこそ「私には関係のない話」でした。

2050年、宇宙エレベーターが完成する⁉

『宇宙エレベーター実現に向け、宇宙でカーボンナノチューブ実験　大林組ら』（2020／6／18　TECH＋ by マイナビニュース）

建設大手の大林組は2020年6月11日、宇宙エレベーターのケーブルに使うことを目指した、カーボンナノチューブ（CNT）の2回目宇宙実験について発表した。国際宇宙ステーション（ISS）を利用しておこなうもので、2015年からおこなった実験に続く2回目。改良を加えた試験体を用いて、宇宙での損傷度合いなどを確かめる。同社は2012年、2050年に宇宙エレベーターを完成させることを目指した構想を発表しており、この実験はその実現に向けた大きな一歩となる。

□ノーベル賞候補、飯島澄男博士の素材「カーボンナノチューブ」を紹介
□同素材を有名にしたのが「宇宙エレベーター」計画を実現に近づけたこと
□宇宙エレベーターが長らくフィクションの産物にとどまった理由を解説

ガンダムの世界が現実に⁉

子供の頃、誰もが一度は想像しワクワクした世界が、現実のものになるかもしれません。それは、いつでも誰でも気軽に宇宙に行ける「宇宙エレベーター」。

〝宇宙旅行の父〟とよばれていたコンスタンチン・ツィオルコフスキー氏が、今から100年以上前に自著の中で記したのが最初といわれています。

それから数々の研究者が宇宙エレベーターの研究をおこなってきましたが、実現性に乏しく、いつしか私たちは「ガンダムの世界の中だけのもの」と割り切るようになりま

した。

ところが1991年。「あるきっかけ」により、宇宙エレベーターは研究者のあいだで「実現可能な計画」に変わります。そして2012年、総合建設業の大林組は「2050年宇宙エレベーター完成を目指す建設構想」を発表。2018年には静岡大などの研究者が宇宙空間での稼働実験をおこなうなど、構想は実現に向けて急速に進み始めたのです。その「あるきっかけ」とは、いったい何だったのか。それは、1人の博士による、とある素材の発見でした。その名も**「カーボンナノチューブ」**。日本発のこの素材は、研究者たちの想像をはるかに超えるものでした。

宇宙エレベーターの本当の目的

みなさんは「宇宙エレベーター」と聞いて、真っ先に何を想像しましたか？　やはり宇宙旅行でしょうか。宇宙エレベーターが完成すれば、高度400㎞にある宇宙ステーションまで日帰り旅行が可能になるといわれています。「今度の週末、ちょっと宇宙行ってくるよ」なんて会話が日常になるかもしれませんね。

しかし、宇宙エレベーターが担う本当の役割は、宇宙旅行よりずっと重要なものです。その役割とは「次世代の宇宙輸送機関」になること。というのも、現在の宇宙輸送機関であるロケットは、いくつかの問題を抱えています。宇宙エレベーターは、それらの問題を解決することができるのです。

1つ目は「輸送コストの問題」。ロケット輸送ではコストが莫大にかかってしまいます。例えば、宇宙空間にメガソーラーを設置するためにはロケットを1000回打ち上げる必要があり、材料輸送費はなんと2772億円だとか。

高いのか安いのかの判断もできない数値ですが、宇宙エレベーターができれば、輸送費は5分の1から10分の1まで抑えられるといいます。少し気が早いですが、エレベーターが複数になったり大型化すれば、さらにコストは下がるでしょうね。

2つ目は「エネルギー問題」。宇宙エレベーターは先述のメガソーラーの設置に貢献するだけでなく、レアメタルなどの鉱物資源を周辺の小惑星で採掘することも期待されています。その理由は、現在、宇宙からの物質を地球上の意図した場所に落下させるのは難しいのですが、宇宙エレベーターができれば、それも解決できるからです。

そして3つ目が「環境問題」。ロケットの打ち上げには燃料を使用していますが、宇宙エレベーターは宇宙太陽光発電衛星などからの電力調達が検討されており、環境にもやさしいのです（宇宙太陽光発電より先に、環境に優しい電力を地球で大量に作る方法が開発されている可能性も十分考えられます）。

そして、近年問題になっている「宇宙ゴミ」。その多くはロケットの打ち上げによるものですが、宇宙エレベーターではその心配もありません。

宇宙エレベーターの仕組み

人類の夢の実現だけでなく、いつかエネルギー資源の限界を迎えるであろう地球から一歩踏み出すため、多くの研究者が宇宙エレベーターの研究をおこなってきました。にもかかわらず、長い間ガンダムの世界から抜け出せなかったのは、なぜなのでしょうか。

その答えは「宇宙エレベーター実現のために必要不可欠なものを作ることができなか

ったから」です。いったいそれは何なのか。それを知るため、まずは宇宙エレベーターの仕組みを確認してみましょう。

まず、気象観測用衛星「ひまわり」をはじめとする人工衛星は、赤道上空約3万6000㎞にあり、地球の自転と同じスピードで回っています。そのため、地球からは同じ位置に静止しているように見えるので「静止衛星」とよばれています。

例えば車で走行中、隣の車線に同じスピードで走っている車がいたら、その車は止まっているように見えますよね。それと同じです。

では、静止衛星が何かわかったところで、一緒に宇宙エレベーターを作ってみましょう！　想像力を働かせて、ついてきてくださいね。まず、静止衛星から地球に向けてケーブルを延ばしていきます。

地球側だけにケーブルを延ばすとバランスを崩すため、地球とは反対側（宇宙側）にも延ばしていき、全体のバランスをうまく調整しながらおこないます。

やがて、ケーブルは地球の表面に到達し、地上と宇宙を結ぶ一本のロープのような状態になります。このケーブルにクライマーとよばれる昇降機を取り付けると、宇宙エレベーターが完成です!!

では、大林組が発表している完成予想図を文章で表現してみるので、少しの間、想像力を全開でお願いします！　ケーブルの地球側の末端（すなわち地上）にはターミナル。そして宇宙側の末端にはバランスを取るためのおもり（カウンター）が付いていて、ターミナルからカウンターまで、ケーブルがピンと張った状態です。

そして、ターミナルとカウンターのあいだには、地球に近いほうから「低軌道ステーション」「静止軌道ステーション」「火星ステーション」「高軌道ステーション」の4つのステーションが設けられており、ステーションの間を、通常のエレベーターのようにクライマーが昇降しています。

みなさんの頭の中に完成予想図が見えましたか？（「おい、坂田！　説明が下手くそで想像できなかったぞ？」という方は、申し訳ございません。大林組のHPをご覧ください）

この完成予想図。私は何度見てもワクワクします。映画などではなく、現実にそれを人間が作ろうとしているのですから。

宇宙エレベーター実現のために必要不可欠なもの

宇宙エレベーターを全体で見ると、ステーションやカウンターをつけた状態の約10万km にもおよぶ長大なケーブルがピンと張った状態を保って、地球と同じ速さで回っていることになります。この状態を保つことができるのは、ケーブルに2つの力が働いているためです。

1つはみなさんもご存知の「地球の重力」すなわち「万有引力」です。これにより、地球側に引っ張られる力が働いています。重力は重いものほど強くなります。

もう1つは、宇宙側に引っ張られる力「遠心力」です。ハンマー投げを思い浮かべてみましょう。おもりのついた鎖を振り回すと、おもりのほうへ体が引っ張られそうになりますね。これが遠心力です。遠心力も重いものほど強くなります。宇宙側の先端につけたカウンターは、遠心力を十分なものにし、万有引力とのバランスを取るためだったのです。地球側に向けてはたらく「万有引力」と宇宙側に向けてはたらく「遠心力」。この2つの力によって、宇宙エレベーターのケーブルはピンと張った状態を保つことができるのです。

問題は、その2つの力の「強さ」です。宇宙エレベーターは、先端のカウンターだけでも約37t。ステーションやケーブル自体の重さもあるため、総重量は100tにもおよぶといわれています。そのため、万有引力も遠心力も非常に強くなり、ケーブルはその強い2つの力に引っ張られ続けるのです。

丈夫な素材といわれている鋼鉄やケブラー繊維でさえ、この強い力にはかないませんそうです。宇宙エレベーターをガンダムの世界から現実世界に引きずり出すには、この強い力に耐えられる素材が必要だったのです！　長い間、人類はその素材を手に入れることができませんでした。しかし、1991年。ついに飯島澄男博士によって「カーボンナノチューブ」が発見されたのです。

カーボンナノチューブとその特徴

「カーボンCarbon」は炭素C、「ナノNano」は10億分の1を表す接頭辞、「チューブTube」は筒状のものを表しています。その名の通り、カーボンナノチューブ（以下、CNT）は「炭素C（だけ）でできているとっても細い筒」で、大きく分けて2種類あります。普通のチューブ状の「単層CNT」と、バームクーヘンのようにチューブが層状になった「多層CNT」です。

CNTの特徴の1つ目は「細いのに強い」です。CNTは炭素C原子同士の結合だけからできていますが、この結合が非常に強いため、髪の毛の5万分の1の細さでありながら、鋼鉄の10倍以上の強さを持っています。この強さが、宇宙エレベーターのケーブル材料として期待される一番の理由です。

ちなみに、炭素C原子のみからできている物質に、女性の大好きなダイヤモンドがあります。ダイヤモンドとCNTは炭素C原子の配列が異なっているだけです。ダイヤモンドは地球上に存在する天然の物質の中で最も硬いことから、男性が永遠の愛を誓うときに女性に贈るとされていますが、その硬さの理由は、ダイヤモンドが炭素C原子同士の強い結合だけでできているためです。実際、CNTの引っ張りに対する強度は、ダイヤモンドと同等なのです。

そして2つ目の特徴は「電気や熱をよく通す」です。例えば、みなさんのお家にある家電製品のコードに利用されている銅。銅は電気をよく通しますが、細くしていくと必要な電流量に対しての耐久性が下がります。それに対してCNTは強度があるため、細くても十分な電流量に耐えられます。電流量に対する耐性は、なんと銅の約1000倍！そして、熱の通しやすさは銅の約10倍です。

それだけではありません。耐熱性にも優れています。宇宙空間には空気がないため気温はありませんが、人工衛星などの太陽側は太陽の赤外線で加熱されます。しかも、冷やしてくれる空気が存在しないため高温になってしまいます。CNTは真空中で約2800度まで耐えられるといわれており、宇宙空間での活躍が期待されているのです。

カーボンナノチューブのこれから

CNTはその優れた性質から、宇宙エレベーターのケーブルだけではなく、コンピューターの集積回路やディスプレイ、医療など、様々な利用が研究されています。

IDTechExの調査レポートによると、CNTの世界市場は、今後10年以内に5億ドル超の規模まで成長すると予測しており、期待の高さがうかがえます。

そして本題の「宇宙エレベーターのケーブル材料としてのCNT」ですが、超えなくてはならない課題もあります。それは「十分な長さのものが作れないこと」です。数年前、静岡大学の研究室でサンプルを見せていただきましたが、当時で十数センチ程度だったでしょうか。「これでもすごいことだ」とおっしゃっていたのを記憶しています。

しかし、ナノテク2020という展示会では、ある企業から数百メートルほどの長さのCNT繊維（撚糸《ねんし》）が発表されるなど、産業界でCNTの開発は、どんどん進んでいます。きっと、この課題も克服する日が来るでしょう。

静岡大学教授の井上翼博士はCNTの今後について次のように述べています。

「CNTは発見以来、多くの応用研究が進められてきましたが、ようやく身の周りにも活用され始めました。資源として豊富にある炭素の有効活用法として、CNTは最適ともいえる技術なので、**さらに社会の中で利用されて暮らしがより快適になると良いと思います**」

井上博士の言葉にあるように、すでにCNTを使用した商品が作られています。みなさんは見かけたことがありますか？　私は以前、CNTをシャフトに取り入れたゴルフクラブを購入しました（私の能力が追いついておらず、良し悪しを判断するまでに至りませんでした。道具より練習が必要だったようです）。

これからもっと、CNTの活躍を目にすることが多くなりそうですね。

神からのご褒美

飯島博士によるCNTの発見は、「セレンディピティー（偶然の幸運）」として語られています（以下、『「私」とNature』の飯島博士のインタビュー記事を元にしています）。

1980年代、世界中の研究者が炭素C原子60個からなる物質（以下C_{60}）の研究に夢中になっていました。その存在は把握されていましたが、正体がわからなかったのです。我先にと、研究者たちは躍起になっていました。飯島博士もその1人です。

研究者の中でC_{60}の正体に最も近づいていたのは、ハロルド・クロトー（英）、リチャード・スモーリー（米）、ロバート・カール（米）の３人、そして飯島博士でした。実は飯島博士、電子顕微鏡を使った研究の中で、誰よりも先にC_{60}の姿を見ていたのです。しかし、そこから見いだすことができずにいました。そして１９８５年、先述の３人がC_{60}の正体を暴き、球状のそれは「フラーレン」と名付けられ、３人はノーベル化学賞を受賞します。博士は「誰より先にフラーレンに出会っていたのに」という苦い経験をしたのです。

それでも博士は、フラーレンから離れませんでした。「球状のものが、どのようにできるのか」という謎を突き止めるためです。博士以外の研究者は、フラーレンを合成し、目の前のフラーレンに注目し続けました。フラーレンの研究をしているのですから、当然のことです。しかし、博士は違いました。フラーレンの研究者にとっては、ある意味ゴミともいえる他の部分に目を向けたのです。するとそこに、見たことのない構造の物質がありました。そうです。そこにあったのが、多層ＣＮＴだったのです。

博士のセレンディピティーは続きます。その後、博士は単層ＣＮＴを作ろうとします。

そんなとき、ふと、自身が以前おこなっていた鉄の微粒子の研究（鉄の微粒子を炭素でコーティングするというもの）の電子顕微鏡写真を見直してみました。するとそこには、ヒゲのようなものが写っていたのです！　そのときの博士の胸の高鳴りは、私たちの想像をはるかに超えるものだったでしょう。そこにあったのは、博士が求めていた単層CNTでした。

当時は単層CNTを作っているなど夢にも思わず、鉄の微粒子の研究に取り組んでいたのです。これは、ただの偶然でしょうか。偶然が二度、続いただけなのでしょうか。

私はそうは思いません。研究者の方々のお話を聞いたり読んだりしていると、この偶然によく出会います。そして、この偶然を経験した方々に共通していることがあるのです。それは**「1つのことを根気強く追究し、それを楽しんでいること」**です。

きっと、この偶然はそこらじゅうに転がっているのでしょう。しかし、それに気付くことができるのは「十分な知識」と「チャレンジと失敗を繰り返した経験」のある人だけなのです。私にはこの偶然が、そうした努力の積み重ねを続けた者だけに与えられる、神からのご褒美のように思えてなりません。

坂田薫の〝明日から使える〟化学雑学講座

「紀元前からエレベーターがあったってほんと？」

本当です‼　世界で初めてのエレベーターは、発明家アルキメデスによって作られたもので、なんと紀元前200年ごろだとか。驚きですよね。

ただし最初のエレベーターは、たくさんの人がロープを引っ張って上げ下げするものでした。ちなみに日本では、1842年、茨城県の偕楽園《かいらくえん》に人の力で上げ下げする最初のエレベーター（食事を運ぶ小さなもの）が作られたようです。

そして、機械の力で動くエレベーターが作られたのは、アルキメデスのエレベーターから2000年以上も経った1835年！　これは蒸気の力で動くものでした。電気で動くものは、54年後の1889年に誕生しています。

きっと、アルキメデスの時代も「人が引っ張らなくてもいいエレベーターを作る！」と人間は夢を見て、「そんなことできるわけない」という人もいるなか、研究者は「できる」と信じて研究を続け、（2000年も経ってしまいましたが）実現したのでしょう。宇宙エレベーターだって、きっと同じです。コンスタンチン・ツィオルコフスキーの名言「今日の不可能は、明日可能になる」を思わずにはいられません。

樹齢1000年の倒木が歴史を物語る

『豪雨で倒木の大杉　年輪で気象分析「1000年分」研究』

（2020／8／29岐阜新聞）

名古屋大学の研究グループは近く、7月豪雨で倒れた岐阜県瑞浪《みずなみ》市大湫町《おおくてちょう》の樹齢1200～1300年とも伝わる県天然記念物の神明大杉を活用し、過去千年間の気象の分析を始める。2、3年をめどに、大杉の年輪からこの地方の降雨量や気温などを計測し、千年分のデータを取り、気候変動の研究に生かす。

□樹木の年輪幅からデータのない時代の気候がわかる
□年輪に含まれる酸素の同位体からわかることとは？
□樹木が教えてくれる過去を、未来の社会システムに活用！

樹木が教えてくれること

２０１９年から２０２１年にかけ、日本は台風や豪雨など数多くの災害に見舞われました。自然を目の前にすると人間は無力だと知らされ、私たちにできることは「備え」しかないと実感した人も多かったのではないでしょうか。

そんななか、ひっそりと自然が残してくれたものがありました。２０２０年７月豪雨で倒れた樹齢１２００～１３００年と伝えられている大杉です。この大杉から過去１０００年分の気象データがわかるといいます。自然が残してくれた過去の情報を、人間はどのようにして読み取り、何に活かしていくべきでしょうか。人間が技術や知識を駆使して向き合ってみると、樹木が教えてくれたのは、ただの気象データではなく、もっと壮大なものだとわかったのです。

樹木の年輪幅からわかること

樹木は地球上で最も長生きする生き物です。屋久島《やくしま》の縄文杉は樹齢約3000年ともいわれています（7000年という説もあります）。このような樹齢1000年を超す古木の年輪には、その樹木が生きてきた環境の歴史が刻まれています。

まず、年輪は1年に1つずつ増えていくため、年輪を数えることで、その樹木の樹齢がわかります。ただし、どんな樹木にでも年輪があるわけではありません。年輪ができるのは日本のように季節がはっきりとしている環境の樹木だけです。

そして、もう1つ。年輪の幅からその年の気候がわかります。**気温が高い年は年輪幅が広く、気温の低い年は年輪幅が狭くなるといった具合です。**実際に、過去50年分の年輪幅の年変動と気温の年変動を照らし合わせると、両者の変動パターンがほぼ同じであったという結果が得られました。これはすなわち、**年輪幅の変動を調べれば、データの残っていない時代の気候も復元できるということです。**復元したデータは、未来の環境変化を予想する上で非常に重要なものになります。

余談になりますが、年輪というと、昔の漫画に山中で迷った主人公が年輪を調べて方角を確認するというシーンがよくありましたよね。でも、過去の気候までわかるとは、主人公もさすがに知らなかったようです。

さて、年輪幅の変動ですが、これは、どんな樹木でも研究対象になるわけではありません。特に日本は温暖湿潤な気候であるため、たくさんの樹木が生い茂った状態になりやすく、周囲の樹木と光や水をめぐる競合関係になります。この競合状態も年輪幅に影響を与えるため、年輪幅からわかる気候の情報が薄まるのです。

よって、生い茂った場所の樹木は適さず、日本では北海道などの寒冷地に限定して研究が進められてきました。

また、年輪幅の変動パターンは樹種ごとに異なることもあり、年輪幅の変動に関する研究は困難を抱えた状態でした。

しかし、21世紀に入り、年輪に含まれる「あるモノ」を調べることで、どんな環境のどんな種類の樹木からも共通した気象データを抽出できるようになったのです。その「あるモノ」とは、原子力関連のニュースでよく耳にする「同位体」です。

同位体を理解する

同位体とは、一言でいうと「同じ元素で重さが異なるもの」です。

例えば、酸素（元素記号はO）には重さを表す数値が16のものと18のものがあり、それぞれ「酸素16（^{16}O）」、「酸素18（^{18}O）」といいます。そしてこの2つを、酸素の同位体とよびます。これにより、酸素Oと水素Hから構成されている「水（H_2O）」にも、重さの異なる2つが考えられます。「^{16}O」で構成される「比べて軽い水（$H_2{}^{16}O$）」と、「^{18}O」で構成される「比べて重い水（$H_2{}^{18}O$）」です。身近な例でざっくり置き換えると、まったく同じに見えるボウリングの球でも12ポンドと13ポンドがあるようなイメージです。

年輪に関する研究では、「比べて重いほうの水（$H_2{}^{18}O$）」がポイントになります。頭の片隅に置いといてくださいね。ちなみに、自然界に存在する酸素の同位体の割合は「^{16}O」が約99・8％、「^{18}O」が約0.2％なので、みなさんが日常飲んでいる「水（H_2O）」のほとんどは、「比べて軽いほうの水（$H_2{}^{16}O$）」ということになります。

年輪に含まれる酸素の同位体

樹木は、根や葉から水（$H_2{}^{16}O$・$H_2{}^{18}O$）を取り込み、光合成を経て、最終的に主成分の「セルロース」という物質を作り成長していきます。年輪も、このセルロースからできています。

よって、**取り込んだ水に含まれている酸素（「^{16}O」・「^{18}O」）が、年輪にも同じ割合で含まれることになります。**

例えば、雨の少ない年（干ばつの年）は空気が乾燥しているので、葉から水が蒸発しやすくなります。このとき、「比べて軽い水（$H_2{}^{16}O$）」のほうが蒸発して出ていきやすいため、葉に残る「比べて重い水（$H_2{}^{18}O$）」の割合が高くなります。**すなわち、その年の年輪に含まれる「^{18}O」の割合も高いのです。**

このように、年輪に含まれている酸素の同位体の比率を調べ、「^{18}O」の割合が高いと雨が少なかった年、「^{18}O」の割合が低いと雨が多かった年だとわかります。

このような酸素の同位体の比率を調べる研究は、樹木だけでなく鍾乳石やサンゴなどでもおこなわれていますが、樹木で調べることにより、特に光合成が盛んな夏の降水量（極めて重要な気候因子）を高精度で復元することができるのです。

この方法は早くから考えられていましたが、莫大な数の微細な年輪を正確に切り分けてセルロースを取り出すことも、セルロース中に含まれる酸素の同位体を調べることも、技術的に困難だったため、年輪幅に関する研究が主流のままでした。

しかし、21世紀に入ってそれらを克服する技術が開発され、年輪の酸素の同位体を調べる研究が進められるようになりました。**特に日本ではこの研究が世界で飛び抜けて進んでおり、日本全体では約4000年から5000年前までの降水量の変動が連続したデータになりつつあります。**そのデータから、約400年周期で大きな気候変動が起こっていることも判明しています。ちなみに次の大きな気候変動は2100年ごろだとか。

気候変動のデータと考古学・歴史学

この研究は単なる気候変動を調べ、今後の気候を予想するだけでは終わりません。1

つ目は考古学への活用です（名作漫画『ギャラリーフェイク』ファンの方！　必見です!!）。

年輪に含まれる酸素同位体の過去4000年以上の連続したデータと照らし合わせることにより、**なんと年輪の年代を1年のズレもなく正確に決定できるようになったのです**。これにより、年単位での年代決定が可能な遺跡出土材が急激に増加しました。

そしてもう1つは、歴史学との連携です。年輪に含まれる酸素同位体からわかる過去4000年以上の連続した降水量のデータは、文献史料にある洪水や干ばつの記録と一致しています。そしてその都度、政治体制の転換が起きているのです。大きな気候変動が起きたとき、日本社会がどう混乱し人々がどう対応したのか。それが成功したのか、失敗したのか。そして、成功したのはどんなコミュニティだったのか。

歴史学と連携し、それらを解き明かすことで、**気候変動に強い社会システムを見つけることを目標に研究が進められています**。

過去に学び、今に活かし、未来に伝える

名古屋大学教授の中塚武博士は地球研ニュースのインタビューのなかで次のように述べています。

「石油や原子力に依存している社会が急激に依存できなくなったとき、人はそれをどう乗り越えるのか。これは地球環境問題の設問そのものであり、同じ事例が気候変動と言う形で歴史のなかにたくさん埋め込まれている。そこから引き出される教訓は、**地球環境問題に対峙するわれわれ自身への教訓になるのではないか**」

人間は長い歴史のなかで、危機的な状況を何度も経験してきました。その度に経験した失敗や成功は歴史に刻まれています。

文明の発達により私たちが経験する危機的状況は、自然によるものだけではなくなり、初めての経験にどう対応すればいいのか戸惑ってしまいます。

実際に私たちは、様々な災害や新型コロナウイルスだけでなく、原発の問題や環境問題に直面しています。中塚博士の言葉にもあるように「これらに対してどう対応すれば

いいのか」のヒントは過去の歴史のなかにあり、「これらに対してどう対応したのか」は、きっと未来の人々の大きなヒントになるはずです。

（実は、このお話には「その後」があります。2021年3月25日の朝日新聞の記事によると、この大杉は樹齢1300年と伝えられてきましたが、炭素14（^{14}C）を使った年代測定法（くわしくは119ページ）により、樹齢約670年と判明。地元の方が「青天のへきれき。本当にびっくりし、ショックを受けております」と複雑の胸中を明かしていたとのことですが、樹齢1300年と言い伝えられるほど大きく育った大杉。長い間、地元の人々に愛されてきたことがわかりますよね）

坂田薫の〝明日から使える〟化学雑学講座

「年輪で本当に方角はわかるの？」

結論から言えば、ズバリ！　わかりません！

特に、よく耳にする「日の当たる南側がよく成長するから、年輪の幅が広い方が南」という説は間違っています。

例えば、斜面に生えている樹木は、幹が傾かないように特定の方向がより成長してバランスを保とうとするため、年輪が楕円形になります（針葉樹は谷側、広葉樹は山側が成長します）。よって、年輪で方角がわかることはありません。

漫画の主人公は「年輪から判明した（と本人は思っている）方角が、たまたま合っていた」という強運の持ち主だっただけなのです。

みなさんは山中で迷ったら、年輪を調べたりせず、スマホのコンパスアプリを開いて正しい方向に進んでくださいね。

「都市鉱山」により日本が世界一の資源国に⁉

『巣ごもりで増える都市鉱山「発掘」企業が狙う次の作品』

（2020／12／28朝日新聞）

新型コロナウイルスの感染拡大で、在宅勤務など生活スタイルが大きく変わった。住環境を整える断捨離や「巣ごもり需要」を追い風に、自宅に眠るパソコンなどを回収・リサイクルする「リネットジャパングループ」（名古屋市）が成長している。

□東京五輪のメダル素材を産んだ日本の〝都市鉱山〟とは？
□金やレアメタルなどの回収・リサイクルで都市鉱山は重要
□法改正前の小型家電の多くは廃棄物扱い。掘り起こしも規制

日本が世界有数の資源国!?

みなさんは「日本が世界有数の資源国」と聞いて信じることができますか? 「どんな妄想だよ……」と呆れてしまったでしょうか。しかし、妄想などではありません。日本には世界屈指の鉱山があるのです。その鉱山に眠る金は、世界の埋蔵量の約16%に相当し、なんと世界第1位! それだけではありません。銀、タンタル、インジウム……など数々の貴金属やレアメタルが眠っているのです。

しかし、残念なことに、日本はまだその鉱山を十分に活用できていません。これから2050年にかけて鉱物資源の枯渇リスクが高まるといわれている今、この鉱山の活用は、今を生きる私たちに与えられた責務といえます。「だったら、さっさと掘り起こせばいいじゃないか!」と思ったあなた。それが簡単にできないことが問題なのです。

日本にある世界屈指の鉱山。その名も**「都市鉱山」**。目の前にそびえ立つ、この巨大な鉱山は、大きな課題を私たちに与えました。私たちはその課題を、どのように乗り越えていくのでしょうか。

あなたのお家にもある都市鉱山

都市鉱山とは「地上に蓄積された工業製品を資源とみなしたもの」で、1988年に東北大学教授の南條道夫博士らによって提唱されました。毎日、大量に破棄されている家電製品。その中に存在するレアメタルなどが都市鉱山に相当します。今、ハッとしましたか？　そうです。みなさんのお家にも都市鉱山の一部が眠っているはず。使っていないPCやスマホ、デジカメ。きっと、1台はありますよね。

この、都市鉱山。2008年に独立行政法人物質・材料研究機構により「わが国の都市鉱山は世界有数の資源国に匹敵」と発表され、一気に注目を浴びることに。その詳細は「世界の現有埋蔵量に対し、日本の都市鉱山に蓄積されている量」で試算されており「金が約16％」「銀が約22％」「スズが約11％」「タンタルが約10％」「インジウムが約16％」など、驚くべきものでした。なんと、日本の国内蓄積だけでも、多くの金属で世界の数年分の消費に相当する量があるのだとか。

そうはいっても「PCやスマホに使われている貴金属やレアメタルなんて、たいした量じゃないだろう」と思ってしまいますよね。まったくその通りで、環境省のデータによると、スマホ1台から採取できる金はわずか0・05g！　かなり少ないですよね。

では、見方を変えてみましょう。例えば、金鉱石1トンから採取できる金は約3g。それに対して、スマホ1トン（1台180gとして約5600台分）から採取できる金は「0.05g×5600=280g」。金鉱石の100倍近い量の金がスマホから採取できるのです。さらに、経産省の調査によると家庭に眠っている、使われていないスマホ（携帯電話）はなんと2億台以上。ということは、家庭に眠っているスマホだけで、採取できる金が「0.05g×2億=10トン」。都市鉱山の偉大さがおわかりいただけたでしょうか。

限界が近い鉱物資源の埋蔵量

ここで、改めて金という金属に注目してみましょう。金の元素記号は「Au」。ラテン語で「光り輝くもの（Aurum）」に由来しています。他の金属にはない美しい輝きと、その希少価値から「富と権力の象徴」として扱われてきました。と同時に「電気を通しやすい」「加工しやすい」「さびにくい」といった性質から、ＰＣやスマホなど多くの精密工業製品にとって、なくてはならない金属です。

もし、人工ダイヤモンドのように金を人工的に作ることができれば、少なくとも工業利用の金は枯渇の心配をする必要はないでしょう。しかし、人間は金を作ることはできません。すなわち、自然界にあるものを採取して使うしかないのです。

では、あとどのくらいの金が、自然界に残っているのでしょうか。World Gold Councilによると、今まで地球上で採掘された金は約19万トン。これは、国際基準プール約4杯分に相当します。そして残された埋蔵量は約5万トン。これはプール約1杯分。現在、年間約3000トンが採掘されているため、枯渇するまでざっくり十数年といったところでしょうか。

こうして数値でみると、危機感を感じますよね。しかし、悪い話ばかりではありません。まず「埋蔵量」とは「自然界にある金の総量のうち、現代の技術や資本で採掘できる量」のことです。すなわち、今の技術では採掘できない金や、技術的には採掘可能でもコストが見合っていないものは埋蔵量に含まれていないのです。例えば、海水にも非常に薄い濃度で金が含まれています。海水は量が膨大であるため、もし海水中の金が採取可能になれば、一気に埋蔵量は増えるのです。

また、金は石油と違って「使ったら終わり」ではなく、かつ「最もさびにくい貴金属」であるため、採掘したものは必ず何かしらの形で残ります。すなわち、回収しリサイクルすることで枯渇を防ぐことが可能。現在、世界全体で年間約1500トンの金がリサイクルによってまかなわれていますが、この数値はもっと増やすことができるのです。

私たちの課題が見えてきましたね。その課題とは「都市鉱山から、金をはじめとする貴金属やレアメタルを、いかに回収しリサイクルするか」です。特に日本は、世界中から資源を集めて発達してきました。その資源は今、都市鉱山として眠っているのです。**例えば金だと、蓄積されている量は、なんと約6800トン！** これらをきちんとリサイクルできれば、日本は確実に「世界有数の資源国」になれるのです。

都市鉱山が抱える課題

「リサイクルできれば、日本は世界有数の資源国になれる」。これは間違ってはいませんが、そんなに簡単な話でもありません。というのも、先述の「日本の都市鉱山に蓄積されている金は約6800トン」という数値は、あくまでも「蓄積量」であり「埋蔵量」ではないのです。「蓄積量」とは散在している金属そのものの量で、利用できる状態のものではありません。

では、どんなところに金属が散在しているのでしょうか。冷蔵庫やエアコン、テレビ、洗濯機などは「家電リサイクル法」、PCや小型二次電池は「資源有効利用促進法」の対象として、比較的早い段階からリサイクルがおこなわれてきました。しかし、スマホ、デジタルカメラ、携帯音楽プレイヤーなどの小型家電の多くは、2012年の「小型家電リサイクル法」公布まで、一般廃棄物として処理され、不燃物として焼却・埋め立てられたり、中古品として海外に流出していたのです。

焼却・埋め立てなど「ごみ」として処理されたものは「廃棄物処理法」により掘り起

こすことは禁止されているため、現時点ではリサイクルの対象になりません。当然、「蓄積量」にはこれらも含まれています。これまで、どれだけの資源が「ごみ」として処理されてしまったのだろう、と考えるとため息が出てしまいますね。

しかし、回収できなかった資源を思い、ため息をついている場合ではありません。家庭で眠る「使用済みの家電」は都市鉱山の大きな鉱脈の1つ。この鉱脈を生きたものにするには「それらをいかに回収し、低コストでリサイクルするのか」が重要であり、その中でも「回収」の部分は「私たち一人ひとりの意識にかかっている」と言っても過言ではありません。この「私たち一人ひとりの意識」を変える1つのきっかけになったのが、東京2020五輪に向け実施された「都市鉱山からつくる！　みんなのメダルプロジェクト」でした。

日本にしか作れないメダルを！

オリンピックといえば、選手のパフォーマンスやメダルの数が注目されがちですが、それだけではありません。「日本が誇る先端技術」や「環境への取り組み」をアピールする機会でもあります。

オリンピックにとって「環境」は「スポーツ」「文化」に次ぐ第3の柱として認識され、五輪憲章には「持続可能な開発を促進すること」が基本理念に組み込まれています。「世界初のグリーン五輪」として開催された1994年のリレハンメル冬季五輪から、回を重ねるごとに多くの環境配慮や低炭素化が進められてきました。

そんな中、東京2020五輪に向け、環境省は「環境に優しい大会」と「環境都市東京」の実現のため、様々な取り組みを進めてきました。

その1つが「東京2020五輪に必要なメダル約5000個をすべてリサイクル金属で作る」という国民参画型の「都市鉱山からつくる！　みんなのメダルプロジェクト」でした。みなさんは参加しましたか？

このプロジェクトは大成功を収め、メダル5000個分に必要な、金30kg、銀4100kg、銅2700kgを100％回収達成。メダルに必要な金属を100％リサイクルで賄うのは五輪史上初で、BBCも「驚きの素材」と紹介しました。

ただし、これで終わりになってはいけません。環境省はメダルプロジェクトの成果をレガシーとして活用し、自治体、認定事業者等と連携した「アフターメダルプロジェクト」を実施。普及・回収促進イベントなど、小型家電リサイクル制度の普及促進に向けた取り組みをおこなっています。

私たちも、東京2020五輪の思い出話の1つにすることなく、資源を次の世代につなぐための責務として、継続して意識、行動していかなくてはいけませんね。

ひとまず、引出しの奥に眠っている古いスマホを掘り起こしに行くところから始めてみましょうか。

新たなことへの挑戦

都市鉱山の活用に向け、研究も進んでいます。例えば金のリサイクル。リサイクル時には回収された電子部品などを溶かすことから始めますが、金は「最もさびにくい金属」で化学的に安定であるため、溶解させるのは簡単ではありません。溶解させるためには、取り扱いの難しい物質やプロセスが必要になります。しかし、それを「中学生でもできる」容易な方法で可能にする液体が開発されました。その名も**「有機王水」**。有機王水を用いれば、金を短時間で容易に溶解させることが可能。さらに、水を加えるだけで溶解した金を析出させ、高濃度で回収することが可能。これが実用化されれば、日本の都市鉱山の活用はまた1つ前進することでしょう。

有機王水を開発した千葉大学教授の松野泰也博士は、千葉大学のホームページで次のように述べています。

「たまたま、当時の同僚の実験失敗の話からヒントを得て、有機王水の研究を開始しました。当初は寝食を忘れ実験室にこもり、金を溶解して析出（回収）する実験を繰り返していました。（中略）**新たなことに挑戦しているときは、身心ともに充実します。これが、我ら研究者の活力源ではないでしょうか**」

新たなことに挑戦しているとき、ワクワクした気持ちが前へ進む活力をくれ、充実した時間を過ごすことができますよね。日本の都市鉱山を「生きた鉱山」にすることは、研究者だけでなく、私たちの挑戦でもあります。目の前に転がっている用済みのスマホはちっぽけに感じるかもしれませんが、それを回収場所に持っていく行動は、きっと未来に向けた大きなチカラになるはずです。

坂田薫の〝明日から使える〟化学雑学講座

「どうして金は金色に光るの？」

金属はすべて金属光沢を持ちますが、そのほとんどが銀白色です。そのなかで金は金色に光り輝く特別な金属ですよね。この独特の色に魅了される人も多いのではないでしょうか。私もその1人です。

金だけ特別な色になるのは、光の反射が関係しています。言わずと知れたことですが、光の三原色は「赤」「緑」「青」ですね。多くの金属は、そのすべての色の光を反射するため、3色が組み合わさって銀白色（白色）に光って見えます。しかし、金は「青」のみ吸収するため、「赤」と「緑」が反射されます。この2色が組み合わさり、私たちの目には「黄金色（黄色）」に光り輝いて見えるのです。

ちなみに、金のジュエリーには「イエローゴールド」や「ピンクゴールド」など、様々な色がありますよね。これは、合金だからです。多くのジュエリーは18Karat（18Ｋ）の金が使われており、これは、75％が金、残り25％は金以外の金属という意味です。25％に銀と銅を用いると「イエローゴールド」、そして銅の割合を高めたものが「ピンクゴールド」、完全に銅だけにすると「レッドゴールド」に変化します。

せっかく金の雑学を学んだのですから、さっそく、気になる女性や奥様を誘ってジュエリーショップデートはいかがでしょうか。私の個人的な見解ですが、「試着」したら買わされる可能性が高いです（子犬を「抱っこ」したら連れて帰ってしまうのと同じですね）。そのくらい、金の輝きは身に付ける人を虜にしてしまう魅力があるのですね。

未来の日本のクルマは木から作るようになる？

『廃プラ利用、35年までに100％　リサイクル・燃料化促進』

（2021／2／23日経新聞）

政府は材料や資源など素材産業の国際競争力を高める戦略をつくる。使用済みプラスチックの再利用を現状の80％程度から2035年までに100％に引き上げる目標を掲げる。廃プラのリサイクルを前提とした素材開発を促す企業向け指針を示すほか、燃料化の技術開発などを後押しする。

（※このニュースの続きは、「日本経済新聞 電子版」のアプリに会員登録すると確認できます。後半には「セルロースナノファイバー」も登場しています）

□セルロースナノファイバー（CNF）は日本発の革新的な素材
□CNFは重さが鉄の5分の1、強度が鉄の5倍という驚異の素材
□チクソ性、消臭効果、食べても人体に無害……。用途は多彩で調達も容易

木の国ニッポン

2019年、東京モーターショー。敷き詰められた木屑の上に展示されているのは、今にも走り出しそうなスーパーカー。人だかりができているのは、この車の外見のカッコよさだけではありません。

なんと、このスーパーカー。従来のものに比べ、約10%の軽量化、燃費は約10%向上。そのぶん二酸化炭素（CO_2）の排出を削減できるため、地球温暖化対策に大きく貢献できる車なのです。それだけではありません。素材は植物（木材）由来でリサイクルが可

能。塗装を綺麗に剥がすことができれば、リサイクル時の劣化もありません。

「木でできた車なんて、危なくないの？」と、不安に感じたかたもいらっしゃるでしょう。その通りですよね。自動車は、見た目や燃費の良さだけではなく、事故の衝撃に耐え、中の人を守る強さを持ち合わせていなければなりません。果たしてそれが「木」で可能なのか。その答えを「イエス」にしたのが「木の国ニッポン」発の革新的な素材、**「セルロースナノファイバー」**なのです。

セルロースナノファイバーとは⁉

まず、セルロースナノファイバー（以下、ＣＮＦ）の「セルロース」とは「どんな植物にも含まれている、地球上でもっとも多い炭水化物」のことです。「炭水化物」といえば、お米やパスタなどをイメージする人が多いと思いますが、それらは「でんぷん」とよばれる炭水化物。それに対して、木綿や麻、紙の素材であるパルプ（木材繊維）などは「セルロース」とよばれる炭水化物です。そして、ＣＮＦの「ナノ」とは「10億分の1」を表す接頭辞です。「カーボンナノチューブ」でも登場しましたね。「ナノ」が付いていたら「とにかく細い（小さい）！」ということです。想像するのは困難ですが、念のためお伝えすると、CNFは髪の毛の約2万分の1の細さです。

最後に、CNFの「ファイバー」は「繊維」のことなので、CNFは「セルロースでできた、とっても細い繊維」ということになりますね。

セルロースナノファイバーとその特徴

CNFとは何かがわかったところで、その特徴を確認してみましょう。

まず1つ目は**「原料の調達が容易」**です。現在、CNFの多くはパルプを原料に作られています。国土の7割が森林に覆われ、森林資源が豊富な日本にとって、パルプの調達は容易だからです。もちろん、先述の通りセルロースはすべての植物に含まれているため、パルプ以外もCNFの原料になります。竹だって、木綿だって、みかんの皮だって、植物資源すべてがCNFの原料になり得るのです。例えば、鹿児島県薩摩《さつま》川内《せんだい》市では、放置された竹林が問題となっており、そこから産業を産み出すための取り組みとして、サッシや外壁の塗料などの住宅建材に「竹から作るCNF」が活用されています。

そして2つ目は**「細いのに強い」**です。ちょっとだけ、想像してみてください。太いロープと髪の毛、ともに30㎝だったら、どっちが絡みやすいですか？ 当然、髪の毛ですよね。細いほうが、絡みやすく、繊維同士の接点が多くなります。CNFは髪の毛よりもっと細いので、繊維同士の接点が非常に多くなります。そしてその接点で、繊維同士が比較的強い結合を作るのです。結合が強く、その数が多い。これによりCNFは**「重さが鉄の5分の1、強度が鉄の5倍」**という驚異的な素材になっているのです。

CNFの自動車への利用

まず、CNFは、木材チップを約1000分の1にしてパルプにし、それをさらに1000分の1にほぐしたもので、透明でドロドロとしたゲル状の物質です。このゲル状のものをそのまま固めれば鉄の5倍の強度をもち、プラスチックなどに練り込めば、元の何倍にも強くすることができます。前者は成形しにくくコストがかかってしまうため、現在、自動車に利用されているのは後者です。

冒頭のニュースにあったスーパーカーに使用されているのは、ＣＮＦをポリプロピレン（以下、ＰＰ）と混ぜ合わせた素材です。ＰＰは衣装ケースなど、日常生活にも多く利用されているプラスチックです。無印良品に行くと、ＰＰ製品はたくさんのラインナップがありますよね。このＰＰの特徴は「破棄されたあと溶かして再利用が可能」であること。ＣＮＦとＰＰを混ぜ合わせたものも同様に再利用が可能です。

ここまで読んで、少しがっかりした人はいませんか。「なんだ。結局プラスチックを使ってるじゃないか！」と。そう思うのも当然です。コンビニのレジ袋も、カフェのストローも削減している時代なのですから。しかし、現在日本で使用されているプラスチック原料の５％がＣＮＦに置き換わるだけで、年間約50万トンものプラスチックが使われなくて済むといわれています。「たった５％」でも大きな意味があるのです。

そして現在、ＣＮＦに混合するプラスチックを生分解性（微生物によって分解される性質）のものにした素材も作られています。これは１００％自然界のものでできた地球に優しい材料で、すでに付け爪や食器など、商品化されています。

驚くべきCNFの多様性

ＣＮＦは「軽くて丈夫」なだけではありません。他にも優れた性質をたくさんもっているため、その利用は多岐にわたります。

性質の１つ目が**「チクソ性」**。チクソ性とは「ドロドロとしたゲル状のものに、圧力をかけるとサラサラに変わる性質」のことです。ちょっとイメージしにくいでしょうか。例えば、ゲル状のものをスプレーすると塊で飛び出しますよね。しかしＣＮＦは違います。ＣＮＦはゲル状にもかかわらず、スプレーすると、液体のように霧状で均一に広がります。これがチクソ性です。スプレーするときに吹き出し部分を指で押すことで、圧力がかかり、ドロドロのＣＮＦがサラサラに変わるのです。

このように、サラサラとしてベタつかないため、スプレータイプの化粧品の増粘剤としての利用が研究されています。

同様に、ボールペンのインクにＣＮＦを混ぜると、書くときにペン先に圧力がかかるため、サラサラとした書き心地になります。「筆記描線がかすれにくい！」「ボテにくい！」という特徴を売りに、２０１６年、三菱鉛筆株式会社により商品化されています。

そして２つ目の性質が**「体内に入れても害がない」**です。ＣＮＦは基本的にはレタスなどに含まれる食物繊維と同じなので、適量であれば体内に入れても問題ありません。そのため、食品や医療分野での利用が期待されています。京都大学のホームページによると、通常のソフトクリームは35度の部屋で６分程度で溶けて垂れ始めたのに対し、わずか０・１％のＣＮＦを加えたソフトクリームは、16分たっても形が変わらなかったのだとか。これは、ＣＮＦのネットワークに支えられ、形が崩れにくくなるためです。夏の遊園地で「ソフトクリームが垂れて大惨事！」なんてことはなくなりそうですね。

その他にも「金属イオンを付着させる」という性質から、ＣＮＦの表面に抗菌消臭効果のある銀イオンを大量に保有させたシートが、大人用の紙おむつとして販売されています。２０１６年に日本製紙株式会社から発売された大人用おむつは、従来品の３倍以上の消臭効果をもつとのこと。介護する側もされる側も、助かりますよね。

また「発泡材料になる」という性質もあります。ＣＮＦで強化した樹脂を、二酸化炭素を使って発泡させると厚くなります。この素材は軽くてクッション性があるため、スニーカーのソールに利用されています。２０１９年に発売されたアシックスと隈研吾さんコラボのランニングシューズにＣＮＦが利用されており、話題になりました。

このように、ＣＮＦは様々な分野で活躍できる素材です。そしてその活躍は、みなさんの近くですでに始まっているのです。ＣＮＦを使った生分解性樹脂材料「Nano Sakura」を開発したＧＳアライアンス株式会社社長の森良平博士は次のように述べました。

「炭素繊維は研究段階から実用化まで、40年かかっています。それと比べるとＣＮＦの研究はまだまだこれからです。炭素繊維やガラス繊維も優れていますが、ＣＮＦには『天然由来で環境に優しい』という他にはない強みがあります。環境問題に貢献したい思いで研究開発に臨んでいます」

ＣＮＦの活用が本格化し、量産化が進むと、炭素繊維の6分の1程度のコストで様々な製品材料になるといわれています。将来、ＣＮＦが炭素繊維に替わる素材になっているかもしれませんね。

資源に乏しい国から資源大国ニッポンへ

始まりは、1996年。「台風の強風でも多くの木は倒れない。その強さの秘密はなんなのか」という疑問が、1人の博士の中に芽生えます。その博士とは、京都大学教授の矢野浩之博士です。

矢野博士は試行錯誤を重ね、2005年、鋼鉄並みの強度をもつCNF由来の素材を作ることに成功。しかし、需要の多かった「CNFをプラスチックに混ぜて作る強化プラスチック」の量産には莫大なコストがかかり、実用化を妨げます。それから10年後の2015年、強化プラスチックを簡単に作る工程「京都プロセス」を開発。実用化が現実的なものになりました。

そして2016年には、環境省が「世界初！　NCV（ナノ・セルロース・ビークル）プロジェクト」を始動。そして2019年。CNFはスーパーカーとなって、私たちの前に現れたのです。現在も、国内の大学や研究所、自動車部品メーカーをはじめとした様々な企業が一体となり、その実用化に取り組んでいます。これは「木の国ニッポン」が得意な自動車分野において低炭素社会を切り開き、持続可能な社会につなげていくための挑戦なのです。

日本の国土の約70％が森林に覆われており、そのうち約40％は持続生産可能な人工林。しかし現在、伐採にかかる費用が高いことや人手不足を理由に、この人工林が使われなくなっています。これを上手く活用すれば、日本で1年間に消費される石油由来のプラスチックの約1・5倍ものCNFが生産できるといわれています。**これが実現すれば「資源に乏しい日本」から「資源大国日本」へと変貌を遂げることができるのです。**

人間は、自然と共存しなくては生きていけません。「自然を壊さない程度に活用し、自然に返せるものを作って使う」。これが可能になったとき、本当の意味での持続可能な社会になっているのではないでしょうか。太古の時代から木とともに生きてきた日本なら、きっとそれができるはずです。

坂田薫の〝明日から使える〟化学雑学講座

「森林浴って本当に効果あるの？」

もちろん、ありますよ！　森の中は清々しい感じがして癒されますよね。これは、ただの感覚ではなく、樹木が発する「フィトンチッド」とよばれる芳香が原因です。

フィトンチッドには様々な効果があります。

まず、森の中には動物の死骸や排泄物などがたくさんあるはずなのに、臭いどころか、とってもクリーンな感じがします。これはフィトンチッドの消臭・脱臭効果が原因です。

フィトンチッドが空気を浄化してくれるのです。

それだけではありません。殺菌効果や防腐効果もあるため、食品の鮮度を保つことにも役立ちます。昔の人がおにぎりを木の皮で包んでいたのには訳があるのですね。

ちなみに、この殺菌作用が「フィトン（植物が）チッド（殺す）」という名前の由来になっています。高等植物は、傷つくと、菌や細菌から傷口を守るためにフィトンチッドを出しているのです。

そして、フィトンチッドの人体への効果も研究されています。精神や自律神経を安定させたり、交感神経の興奮を抑えて不眠を解消したり、ストレスホルモンを減少させる効果があるのだとか。また、脳の活動や血圧を鎮めて怒りや緊張を和らげてくれる効果もあるようです。フィトンチッドは6月から8月にかけて増加するので、この時期に森林浴に行ってみてはいかがでしょうか。

「仕事してるし、そんな気軽に森林浴なんて行けない！」というあなた。大丈夫です！なんと、フィトンチッドの効果は木製品になっても持続するのだとか。木でできたお家や木質の内装のお部屋でも、森林浴と同じような効果があるようですよ。近くにある木でできた内装のカフェでコーヒーを飲むだけでも、リフレッシュできそうですね。

私は毎年、必ず伊勢神宮へ行きます。自分でも不思議なのですが、「伊勢神宮へ行きたい！」と感じる瞬間があるのです。今までは「神のお導きに違いない」と思っていましたが、じつはストレスが溜まっていただけなのかもしれません。ヒノキでできた橋を渡り、神宮の森を歩いているあいだに、フィトンチッドによってストレスホルモンが減少し、癒されまくっていたのでしょうね。

ピタッと貼り付けるだけで臓器が再生する!!

『十二指腸手術に「細胞シート」　長崎大、4月から治験』

（2021／3／12共同通信）

長崎大は12日、患者自身の細胞を培養した「細胞シート」を、十二指腸がんの手術に使う世界初の治験を4月から始めると発表した。自身の細胞で組織再生を促し、施術による合併症を防ぐのが狙い。2023年3月までに計6例おこなう予定で、今後、消化器系に使用可能な細胞シートの製品化を目指す。

□細胞シート工学は再生医療の中でもっとも注目されている方法の1つ
□体性幹細胞やiPS細胞を培養した「細胞シート」を貼り付けるだけ!
□細胞シート工学は、工学と医学の融合で生まれた画期的なテクノロジー

「今の自分にとっての当たり前」を維持できる未来

みなさんは、これから先の人生、何をして過ごしたいですか？

「死ぬ直前までバリバリ働きたい」「仕事はほどほどにして、パートナーと旅行を楽しみたい」「趣味のゴルフをもっと極めたい」など、年齢や環境によっても様々なことでしょう。

しかし、どんな人の願望にも共通していることがあります。それは、「今の自分にとって当たり前にできていることが、これから先も変わらずできている」という前提です。

「今の自分にとって当たり前にできていること」は人それぞれですが、例えば私だと「目が見える」「歩くことができる」「食べることができる」などです。これらは、今の自分には当たり前であっても、未来の自分にとって当たり前とは限りません。

では、「今の当たり前」がそうでなくなるとしたら、そのきっかけは何でしょうか。

当然、「病気」や「けが」ですよね。こればっかりは、どんなに気をつけていても完全に防ぐことは不可能。いつ、そのときがやってきてもおかしくありません。なんて考えていると、不安になってしまいますよね。

しかし、みなさん！　その不安から解放される未来が、やってくるかもしれません。想像してみてください。病気になっても、けがをしても、負担の少ない治療で、みなさんの「今の当たり前」を維持できる未来。その未来では、今よりも笑顔の数が増えているのではないでしょうか。

そんな未来を実現できる技術の1つが、日本発の**「細胞シート工学」**です。

心臓に貼り付けると一体化する

失われた臓器や、機能が低下した臓器を再生する「再生医療」。2012年、京都大学教授の山中伸弥博士がiPS細胞の研究でノーベル賞を受賞し、一気に注目されるようになりましたね。再生医療は、臓器移植が抱える問題の1つ「ドナー不足」を解決できるとして、大きな期待が寄せられています。

さて、再生医療の中でもっとも注目されている方法の1つに、日本発の「細胞シート工学」があります。特徴を一言で言うなら、**「施術が簡単」**！　なんと、みなさんの体にある「体性幹細胞」や人工的に作られる「ｉＰＳ細胞」を培養して「細胞シート」を作り、それを患部に貼り付けるだけ！　縫合も必要ないため、患者にとっても医師にとっても負担が少ないのです。

例えば、すでに実用化され、保険適用にもなっている細胞シートに、心不全治療用の「ハートシート」があります。これは、太ももの筋肉の細胞を培養させて作った細胞シートで、患者の心臓に貼り付けるとシートが心臓と一体化し、血液を送り出す力が回復するというもの。

効果が気になりますよね。「細胞シート工学」を開発した東京女子医大特任教授の岡野光夫博士は、次のように述べています。

「手術から3ヶ月後には心臓の収縮力が上がり、7ヶ月後回復して、人工心臓を外せた。患者は2年入院していたのに、**歩いて退院できるまでに回復した**。その後、数年以上の長期間追跡して副作用がないことも確認している」

また、大阪大学ではｉＰＳ細胞を使った心筋細胞シートを使った治験も実施。２０２

0年12月の時点で3例目の被験者まで移植が完了し、経過は順調だとか。

近年、日本人の死因第2位として定着している心疾患。近い将来、ランク外になる日がやってくるかもしれませんね。

貼り付けるだけで視力回復？

細胞シートを使った治療の実例は、心臓だけではありません。例えば、眼の角膜。角膜の上皮幹細胞が外傷などでダメージを負うと、視力を取り戻すには移植しかありません。しかし、ドナーは不足。また、他人の角膜では拒否反応も問題となります。そこで、組織が似ている口腔粘膜から幹細胞を採取。それを培養して細胞シートを作ります。ダメージを負って濁った角膜表面の組織を除去した後、細胞シートを貼り付けると、術後1ヶ月で角膜が透明になるのだとか。

大阪大学の記事によると「視力0・01未満の患者さんが0・9まで回復するなど、これまでに素晴らしい実績を残している」とのこと。現在は、口腔粘膜の幹細胞ではなく、ｉＰＳ細胞を使用した角膜上皮そのものの細胞シートが作られ、それを使った臨床研究が進んでいます。

その他にも、歯根膜（歯周病の治療）、膝の軟骨、そして冒頭のニュースの十二指腸の再生など、細胞シートは様々な治療に利用され、実績を積み重ねています。

しかし、なぜ、細胞シートは縫合しなくても貼り付き、患部と一体化していくのでしょうか。ここに、細胞シート工学の最大のポイントが隠れています。

細胞シートが抱えていた問題点

通常、細胞を培養して細胞シートを作るときには、「シャーレ」とよばれるガラス容器を使用するのですが、完成した細胞シートがシャーレの底に貼り付いてしまい、うまく剥がすことができません。原因は、細胞と細胞の間を埋めているタンパク質です。このタンパク質は、細胞同士をつなぎ合わせる糊のような役割を持っており、シャーレの底に貼り付いてしまうのです。

みなさんなら、シャーレに貼り付いた細胞シート、どうやって剥がしますか？「無理矢理引き剥がす！」と答えたあなた。いいですね。ワイルドですね。ただ、そうすると、せっかく作った細胞シートが傷ついてしまいます。「原因のタンパク質を壊す！」と答えたあなた。これもいいですね。タンパク質の分解酵素を加えると、タンパク質を分解して壊すことができます。しかし、この方法だと、細胞同士が離れてバラバラになってしまい、患部への生着率が大きく低下してしまいます。

お気付きになりましたか？　タンパク質が原因でシャーレに貼り付いてしまうけれど、患部に生着させるには、このタンパク質が必要なのです。このタンパク質があるからこそ、細胞シートは患部に貼り付き、一体化していくのです。

温度によって性質が変わる高分子？

「タンパク質を残したまま、細胞シートをシャーレから剥がす」。この課題を解決したのが、「温度によって性質が変わる高分子」です。

高分子というのは、小さい分子を化学反応でたくさん結合させて作った、大きな分子です。小さなビーズ（小さい分子）をたくさんつないで作るネックレス（高分子）のようなイメージですね。例えば有料化されたレジ袋、飲料水の容器であるペットボトル、今私のデスクに転がっている接着剤など、みなさんの身の周りには人間が作った高分子がたくさんあります。

そして、高分子の中には特別な機能を持つものがあります。例えば、おむつに利用されている高吸水性高分子や、環境問題の対策として研究が進む生分解性高分子（微生物の活動により分解される高分子）、有機ＥＬディスプレイにも利用されている導電性高分子（電気を通す高分子）などはみなさんも聞いたことがあるのではないでしょうか。これらと同様に「細胞シートがシャーレの底に貼り付いて困るよ問題」を解決した、温度が変わると性質が変わる高分子も「特別な機能をもつ高分子」の１つで、温度応答性高分子といわれます。

細胞シート工学に利用された温度応答性高分子は、32度より低い温度では水が結合し、大きく膨らみます。水と仲が良い状態です。しかし、32度以上の温度では結合が切れて水が離れていき、高分子はギュッと集まって小さくなります。水と仲が悪い状態です。

この高分子をシャーレの表面に、ナノレベルで均一に固定します。そうすると、シャーレの底は32度を境に、性質が変わることになります。32度より低いときは水と仲が良く、32度以上では水と仲が悪くなるのです。

では、この温度で性質が変わるシャーレ（以下、『UpCell®』）を使って細胞シートを作ってみましょう。みなさんの想像力の出番です！　まず、体温に近い37度で『UpCell®』を使って細胞を培養し、細胞シートを作ります。このとき、『UpCell®』の底は水と仲が悪く、細胞シートが貼り付いています。そして、細胞シートが完成したら20度まで温度を下げましょう。『UpCell®』の底は水と仲良しになるため、細胞シートと『UpCell®』の底のあいだに、するすると水が入ってきますよ。この水のおかげで、細胞シートを傷つけることなく剥がすことができるのです。

興奮を隠せない工学と医学の融合！

私が「細胞シート工学のお話を書きたい！」と思ったのは、「貼り付けて治す」という細胞シート自体のすばらしさもありますが、それよりも、温度応答性高分子という「工学技術」と、それを治療に結びつける「医学技術」の融合で生まれた技術という部分に興奮したからです。

実際に、細胞シート工学を創出した先端生命医科学研究所には、東京女子医科大学と早稲田大学それぞれの先端生命医科学研究センターが入っており、医学・理学・工学が連携して研究を推進する拠点となっています。エンジニアと医師が一体になって研究を進めているのです。１つの同じ建物のなかで、異なる学校法人の異なる学部が一緒に研究している施設は他にはありません。

実は工学部出身の岡野光夫博士。博士がアメリカの大学院のバイオエンジニアリングに留学したとき、あることに疑問を感じます。それは、半導体の研究をしている人にまったく異なる分野の生命科学や高分子化学を教えていたことです。そこで、教授に「そんなことに意味があるのか」と尋ねたときのことを、次のように述べています。

「(博士の疑問に対して学科長の教授は)『われわれは21世紀の、人類未来のライフサイエンスのフィールドを耕そうとしているのだ。従来の教育と同じ教育をしていては私たちのコピーをつくることしかできない。その限界を越えられる人間をつくるには、われわれが教育されなかったコンセプトとテクノロジーを教えるべきだ』というのです。実際、それから10年たつと、アメリカの研究者は半導体と遺伝子を組み合わせた遺伝子チップを開発し医療に利用され始めた。日本では考えられない戦略的な人作りから始まる、無から有を生み出す挑戦でした」

1つの分野だけを見て行き詰まったとき、他の分野に目を向けることで道が切り開けることは少なくありません。私自身が、たくさんの研究者から聞いた言葉でもあります。異分野が連携して新しいものを生み出していくスタイルは、もっと日本の大学が取り入れていくべきではないでしょうか。そして、これは大学に限った話ではなく、人生において行き詰まったとき、私たちが思い出すべき言葉かもしれません。

細胞シート工学がある未来

岡野博士は向学新聞のインタビューでは次のように述べています。

「目の見えない人が見えるようになり、心臓病で倒れた人がマラソンに参加できるようになればすばらしいことです。今まで治せなかった人や寝たきりの人を治せるようにすることはＱＯＬ（クオリティーオブライフ）の向上に寄与します。私は人間の寿命は80年なり90年なりのある期間でいいと思っていますが、**生きている以上はずっと寝たきりではなく、ちゃんと目が見えて歩けて、家族と遊んだり旅行できたりする体にしておけるような医療を目指しているのです**」

私の母は活発でじっとしていない人でしたが、膝に痛みを感じるようになってからは、以前ほど活発に動けなくなりました。これが「老いる」ということなのかもしれません。しかし、「一日でも長く、自分の足で行きたい場所に行き、自分の目で愛する人の顔を見て、自分の口で美味しいものを食べる」というのは、誰もが望むことではないでしょうか。私は、細胞シートがこの望みを叶える1つの手段になると信じています。どうか、みなさんにとっての「今の当たり前」が人生最後の日まで継続していますように。

坂田薫の"明日から使える"化学雑学講座

「導電性高分子って日本発って本当？」

はい。本当です！　最初の導電性高分子が開発されるまでは、「高分子は絶縁体で金属のように電気を導くことはない」と信じられていました。

この常識を覆したのが、筑波大学名誉教授の白川英樹博士です。2000年にノーベル賞を受賞されていますね。博士は「ポリアセチレン」という高分子を合成する反応を研究していました。ポリアセチレンは何度合成しても黒い粉末。溶けることもなく、使い道がありませんでした。

しかしある日、状況が一変します。

研究生に合成させてみたところ、実験は失敗。報告を受けた博士が確認してみると、そこにあったのは黒い膜状のポリアセチレンでした。その真相は、研究生が触媒の濃度を間違えて1000倍で実験したことで起こった偶然でした。

その後、ポリアセチレンの薄膜の合成を繰り返していくと、その薄膜は金属光沢を放つようになります。それを見た博士は「電気が流れるのかもしれない」と考えたのです。これが導電性高分子の始まりです（最終的に、臭素やヨウ素を加えることでポリアセチレンは金属に匹敵する電気伝導性を示すことが判明します）。

研究生に合成させることがなければ、研究生の失敗を流していたら、電気を通すかもしれないと考えなければ、導電性高分子の発見はなかったかもしれません。すなわち、ATMのタッチパネルも、有機ELディスプレイも、有機太陽電池も、今の世になかったかもしれないのです。「失敗は成功のもと」といいますが、本当にその通りだなあと感じずにはいられないですよね。

みなさんは、最近どんな失敗をしましたか？　私は、短時間睡眠が続いてボーッとしていたとき、ユニクロのオンラインショップでワンピースを買い、次の日、同じワンピースをユニクロの店舗で買っていました。それ以来、少しでも多く睡眠を取るよう行動するようになり、仕事や家事を効率よく進められるようになった気がします。小さなことですが、これも「失敗は成功のもと」と言っていいですよね。

もしも「アベノマスク」が銅のマスクだったら

『「アベノマスク」評価は？　全戸配布開始から1年　使用3・5％「意図伝わらず」』

（2021／4／18／時事通信社）


「アベノマスク」とやゆされた布マスク2枚の全戸配布を政府が始めてから、17日で1年が経過した。

「税金の無駄遣い」と批判が相次ぎ、届いたマスクを福祉団体などに寄付する動きも広がった。政府は「一定の効果はあった」と主張するが、芳しい評価は聞こえてこない。

□人類が古くから活用する銅の特徴について解説
□銅が持つ抗菌性の原因である「ラジカル」の仕組みとその効果は？
□コロナでも有効性の研究結果。群馬大発のベンチャーは銅マスクを開発！

古代から利用されている銅

小学生のとき「指にトゲが刺さったの？　無理に抜かずに、しばらく梅干しをのせて絆創膏貼っておくといいよ」という祖母の言葉を半信半疑で試し、その効果に驚いたことがあります。

これは、浸透圧（塩分濃度の低いほうから高いほうへ水分が移動する）の効果で梅干しを貼った部分の体液が外へ出ていき、腫れが引くためトゲが抜けやすくなるのですが、このような、いわゆる「おばあちゃんの知恵」や「昔の知恵」といわれるものに「侮れないものだなあ」と感じたことがみなさんにもあるのではないでしょうか。

そのような知恵が最も古くから利用されていたものの1つに銅という金属があります。

銅は、人類が最初に利用した金属といわれており、紀元前7000年頃の遺跡から銅を加工したものが発見されています。

そして銅は、その優れた性質ゆえ、現代に至るまで様々なところで利用され続けてきました。

その銅がコロナ禍で注目され、世界中で研究が進められています。日本では、日本発の技術を盛り込んだ銅のマスクまで登場しました。

2020年の春は日本中の薬局やスーパーからマスクが消え、私自身も途方に暮れていたため、マスクの配布にも納得はしていますが、もし、「アベノマスク」がこの銅のマスクだったら……国民の反応はまったく違うものになったのではないかと私は考えます。はたして銅のマスクの驚くべき効果とは。

銅が持つ注目すべき性質

注目すべき銅の性質の1つが**「電気や熱を通しやすい」**です。これは銀に次いで第2位で、家電製品のコードなどに利用されています。長年使った家電のコードの絶縁被覆が破れ、中にある褐色の金属導体が見えてしまったことはないですか。あれが銅です！

それ以外にも、熱が素早く伝わり焼きムラがないことから、鍋やフライパンにも利用されています。もし、卵焼きがうまく作れず悩んでいたら、銅のフライパンはいかがでしょうか。ふっくら仕上がるので、卵焼き専門店でも利用されているみたいですよ。

次に**「加工しやすい」「耐食性に優れている」「有色（褐色）」**という性質です。これらを利用した身近なものに、硬貨があります。1円玉以外はすべて、銅を主成分とした合金なのですが、含まれる銅以外の金属により硬貨の色が異なっています。

そして、コロナ対策として注目されている性質が**「抗菌性」**です。銅の抗菌性は、みなさんの体内でも常に生じている「ラジカル」によるものですが、ラジカルとは一体、何者なのでしょうか。

知っておきたいラジカルの特徴

身の回りの物質は「原子」や「分子」、「イオン」とよばれる粒子で構成されています。そして、それら粒子の中には、「電子」といわれる粒子が存在しています。

結晶スポンジのお話で、結晶を構成する分子をゴルフボールに例えたのを覚えていますか（忘れていたら戻って復習してくださいね）。そのゴルフボール（分子）の中に、さらに小さな粒（電子）が存在しているイメージです。

電子は2個でワンセットすなわち「対《つい》」で安定します。それに対し、1個で存在する「不対《ふつい》」の電子は極めて不安定です。この不安定な「不対」の電子をもっている原子や分子、イオンを**「ラジカル」**といいます。ラジカルは不対の電子を対にするために、周りの物質に攻撃を仕掛け、電子を手に入れようとします。満たされていないからこそ、攻撃的なのです。例えば、ウイルスのタンパク質がその攻撃対象になります。

これを利用し、ラジカルはウイルス除去をうたう空気清浄機などに利用されています。空気清浄機から放出されるラジカルによってウイルスをやっつけるのです（もちろん人間には害のない濃度に設定されています）。

また、みなさんが一度は耳にしたことがある「活性酸素」もラジカルです。老化や病気の原因として取り上げられることが多いため、怖いイメージをもっている人が多いかもしれませんが、活性酸素は呼吸によって常に体の中で生じており、体内に侵入したウイルスや細菌をやっつけてくれる役割があります。

しかし、ストレスや紫外線、たばこなどにより活性酸素が過剰になったとき、正常な細胞も攻撃されてしまうために害となるのです。高級和牛にちょっとだけお塩をつけると美味しさが増しますが、つけすぎると台なしになるように、何事も「適量を超えたときが問題」なのですね。

持続性にも優れた銅の抗菌性

銅は、その表面で空気中などにある水分と反応し、水をラジカルに変えます。このラジカルがウイルスのタンパク質を破壊していくため、銅には抗菌性があるのです。

実際にブドウ球菌やO157、インフルエンザウイルス、ノロウイルスなどに有効であることが確認されています。

そして、この抗菌性は純銅だけでなく60％以上銅を含む合金でも有効です。一般社団法人日本銅センターのホームページによると「A型インフルエンザウイルスを銅合金の表面に接触させ、経時後の感染価を計測した結果、ウイルスは30分後に検出限界値未満まで減少した」とあります。このように、様々な菌やウイルスに効果があることが立証され、病院や保育園で手すりやドアノブを真鍮《しんちゅう》（銅と亜鉛の合金）にするなど、その利用が進んでいます。手軽に試したい方は、10円玉を花瓶の水に入れておくと、銅の抗菌力により雑菌の発生を抑えることができるのでお花が長持ちしますよ。

さらに、銅の抗菌性は長期間持続します。変色しても衰えることはありません。なんと、100年以上前に設置された銅の手すりにその効果が残っていたのだとか。

ちなみに、この銅の抗菌性は何千年も前から利用されていました。インドでは、銅のカップで水を飲むと下痢をしないことが知られていたり、古代エジプトでは医療器具に青銅が使われるなどしていたようです。改めて、昔の人の知恵ってすごいですよね。

コロナ禍での銅の利用

世界中で新型コロナウイルスの感染者が増加するなか「新型コロナウイルスにも有効に違いない……」と、銅の抗菌力が注目を浴びます。

2020年、米国カリフォルニア大学とプリンストン大学の研究チームによって「新型コロナウイルスの生存期間は、プラスチックやステンレスの表面では2～3日と長いのに対し、銅の表面では4時間と極端に短くなる」という研究結果が発表されました。

そして日本では、銅と日本発の技術である「光触媒」（このあと『三次喫煙』のテーマでお話しします）とのコラボも実現しました。群馬大学発のベンチャー企業であるグッドアイは、ポリエステル繊維に銅箔を巻きつける技術と織都桐生伝統の織物技術を組み合わせ、さらに光触媒を担持させた「ＧＵＤシート」を開発しました。このシートはＧＵＤマスクとしても販売されています。

その効果が気になりますよね。公表されている研究結果によると、ＧＵＤシートの新型コロナウイルスに対する60分後の不活化率は、なんと99・9％！

また、ウイルスがついた指をＧＵＤシートで擦ると、10秒後には98％、30秒後には99・9％以上が除去されているという驚きの結果が出ています。

古代から利用されている銅と、現代の技術である光触媒の融合によって生み出された素晴らしい結果だと思いませんか。

ここまで読んで「これって、ＧＵＤシートのＰＲなんじゃね？」と思った方はいらっしゃいませんか。残念ながら、私は依頼を受けたわけでも金銭を受け取ったわけでもありません。GUDシートに限らず、一度もです。それでも私が日本の研究にこだわって話し続けるのは、私の中に1つの思いがあるからです。

日本の研究を盛り上げるのは誰？

2020年4月の毎日新聞の記事に、GUDシートの紹介とともに群馬大学教授の板橋英之博士の言葉が掲載されています。

「感染拡大防止の切り札になる素材で、早く世に出したい」

研究者の方々にお話を聞くたび、彼らの中にある「人々の生活を良くしたい」という気持ちが伝わってきます。そんな日本の研究者の方々や、その研究を盛り上げる役目を担っているのは一体誰なのでしょうか。

1つは「政府」だと思います。例えば「アベノマスク」が先述の銅のマスクだったら、このようなベンチャー企業や大学の研究が日本中に知れ渡り、得られる利益は新しい研究の助けになるでしょう。そして何より、受け取るみなさんは嬉しくないですか？　日本の技術が使われ、効果が実証されているマスク!!　きっとＳＮＳにアップしますよね。その画像は日本だけでなく、世界中の人の目に留まるかもしれません。

そして次に、私のような「伝える機会を与えていただいた者」だと思っています。私は有名人ではなく、たいした影響力もありません。それでも、伝えることを諦めたくないのです。その理由は、研究者の方々の姿勢や言葉、そして、読者のみなさんのように私を応援してくださる方々（勝手にそう思っています）に、私自身が「生かされている」と感じるからです。そう考えると結局、（間接的ではありますが）日本の研究を盛り上げる一番のチカラは、みなさん一人ひとりなのかもしれませんね。

坂田薫の〝明日から使える〟化学雑学講座

「銅が栄養機能食品ってほんと？」

本当です!!　２００４年、厚生労働省により、銅は亜鉛やマグネシウムとともに「栄養機能食品」の1つとして定められました。栄養機能食品とは「特定の栄養成分（ビタミンやミネラルなど）の補給のために利用される食品」のことです。わかっていても、日々の食生活で1日に必要な量の栄養を摂取するのは難しいですよね。サプリメントなどで補っている人も多いのではないでしょうか。ただ、鉄分やカルシウムにくらべ、銅はほとんど意識できていないのが現状だと思います。

そんな銅の大切な役割の1つが「血液を作る」です。赤血球中のヘモグロビンには鉄が含まれていますが、銅は、ヘモグロビンを作る場所に鉄を運ぶ役割をしています。貧血の原因は鉄不足だけではないのですね。その他にも「活性酸素の除去」や「骨や血管を正常に保つ」などの役割もあります。

そんな私たちにとって必要な銅は、レバーやナッツ、大豆などに含まれています（広島出身の私が個人的にお勧めするのは牡蠣です!!）。

でも、「よーし!!　今日から意識して銅を摂取するぞーー!!」と意気込んでいるあなた。過剰摂取は肝障害など健康を害する恐れがあります。「適量を超えたときが問題」は銅も例外ではありませんよ。

火星を爆走した探査車の動力は原子力電池!!

『火星の大気から酸素生成に成功　NASA、小型ヘリ飛行に続く快挙』（2021／4／23ロイター）

米航空宇宙局（NASA）は21日、火星探査車パーシビアランスに搭載した装置を使い、火星の大気の96%を占める二酸化炭素から初めて酸素を生成したと発表した。

NASAは、二酸化炭素から酸素を作り出す今回の取り組みによって、人類の火星到達に向けたさらなる実験の可能性が広がったとしている。

発表によると、最初に生成された酸素は10分間の呼吸に必要とされる5グラムという「かなり控えめ」な量だったという。

□米NASAの火星探査車の電源となった「原子力電池」について解説
□寿命は数十年！ さらに「ダイヤモンド電池」の開発も進む
□原爆と原発事故の両方を経験した日本だからこそできる技術がある

人類の夢と希望、宇宙

2021年2月。暗号が記されたパラシュートを開き、火星に着陸していく探査車。そして、火星に吹く風の音。みなさんはあの映像を見て何を感じたでしょうか。まるで映画の世界のような映像に、私は夢や希望を感じ、ワクワクを抑えることができませんでした。

人類は最初、ただの憧れから宇宙を目指したのかもしれません。しかし、地球のエネルギーに限界が見えてきた今、「宇宙へ行くこと」は、遠い未来まで子孫をつないでいくために必要な課題の1つとなりました。そして『カーボンナノチューブ』でお話しした「宇宙エレベーター」や、このニュースにある「火星の大気から酸素を作り出す」といった技術の確立が具体的に見えてきた今、人類にとって宇宙へ行くことは、ただの憧れから「実現可能な計画」へと変化しています。

今回の火星探査車パーシビアランスは、2年以上ものあいだ火星を走り回り、地球で待つ人類のため、様々なミッションに挑むといいます。その動力となるのが、放射性物質を利用した「原子力電池」です。なんとこの電池、数十年は余裕で放電し続けるのだとか。人類の夢を背負って火星へ飛び立ったこの電池は、いったいどんなものなのでしょうか。

放射性同位体とは

みなさん、「同位体」とは何か覚えていますか？「酸素16（^{16}O）」と「酸素18（^{18}O）」のように「同じ元素で重さが異なるもの」でしたね。

この同位体のなかには、不安定なために「放射線を出しながら壊れてしまうもの」があります。これを「放射性同位体」といいます。

例えば炭素（元素記号C）には、重さを表す数値が12、13、14の3つの同位体「炭素12（^{12}C）」「炭素13（^{13}C）」「炭素14（^{14}C）」があります。このうち「^{14}C」が放射性同位体で、放射線を出しながら別の原子へと変化していきます。このとき放出される**放射線のエネルギーを電気エネルギーに変える装置が「原子力電池」**です。

原子力電池の寿命と半減期

原子力電池の大きな特徴は「長寿命」です。ただし、利用する放射性物質によって寿命は大きく変わるため、「半減期」を用いて寿命の指標とします。この「半減期」という言葉、原発事故のとき毎日のようにニュースで聞きませんでしたか？　ゴルフのスイングについて語るとき「アドレス」という言葉が不可欠なように、原子力のお話において「半減期」は欠かせない言葉なので、知っておくと日々のニュースなどできっと役立ちますよ。半減期とは「放射性同位体が壊れて半分になるまでにかかる時間」のことです。例えば、今回火星に行った原子力電池には「プルトニウム238（^{238}Pu）」という放射性同位体が使われていますが、最初にある「^{238}Pu」の量を1とすると、壊れて2分の1になるまでに約88年かかります。これが半減期です。

半減期がそのまま電池の寿命というわけではありませんが、当然、**半減期が長いほど寿命の長い電池**となります。また、半減期の長い電池ほど放出される放射線は弱くなります。「^{238}Pu」はその半減期の長さと出力が宇宙探査ミッションに適しているとして、宇宙探査機などの電池に使用されるようになりました。

1977年に打ち上げられたNASAの惑星探査機ボイジャーもその1つで、太陽圏を脱した今でも、地球に信号を送り続けています。太陽光の届かない深宇宙で、40年以上経った今でも放電し続けることができるのは原子力電池ならではだと思いませんか。

このように、原子力電池は長寿命であることから、宇宙探査機だけでなく火口付近で火山活動を見守る装置など、人の手の届かない場所の電源として利用されています。

実用化が進むダイヤモンド電池

今、「日常使い」を目的として、実用化に向け研究が進められている原子力電池があります。それは、半導体に人工ダイヤモンドを使用した「ダイヤモンド電池」です。

現在、研究が進んでいるダイヤモンド電池の放射性同位体には、「炭素14（^{14}C）」や「ニッケル63（^{63}Ni）」が使われています。その理由は、それらから放出される放射線がアルミニウムのような薄い金属板で遮断でき、扱いやすいためです。その中でも特に「^{14}C」を使ったダイヤモンド電池が今、注目を集めています。

この「^{14}C」を使用したダイヤモンド電池は、英ブリストル大学などで研究されていますが、その驚くべき点は「^{14}C」の出どころです。それはなんと、核廃棄物！　この電池が実用化されれば、**処理が問題になっている核廃棄物の利用が可能になる**のです。しかも、「^{14}C」の半減期は5730年!!　「おじいちゃんのおじいちゃんが使っていた電池がまだ使えるよ」なんて時代が来るかもしれませんね。ただし、「^{14}C」は半減期が長いぶん出力が非常に小さいという課題もあり、出力を高める技術の開発や、半減期が100

年の「^{63}Ni」を使ったダイヤモンド電池の研究も進められています。

ダイヤモンドの研究と日本

ダイヤモンドは半導体材料として非常に優れており、「究極の半導体材料」ともいわれています。しかし、今までダイヤモンド半導体が利用されなかったのは、問題を抱えていたためです。その問題の1つは、半導体として使用できる人工ダイヤモンドは、工業用の研磨剤などに利用されている黄色いものとは異なり、無色透明の美しいものでなくてはならないということです。この美しいダイヤモンドを合成するのが非常に難しいのです。しかし日本は、このダイヤモンド半導体の分野で世界にリードできる可能性を秘めています。というのも、半導体として利用できる美しいダイヤモンドの合成法（気相成長法）が「日本発！」なのです。

この合成法を開発した物質・材料研究機構（前・無機材質研究所）で、ダイヤモンド半導体や「^{63}Ni」を使ったダイヤモンド電池の研究を進めている小泉聡博士は次のように述べています。

「ダイヤモンドの研究は一筋縄ではいかない点が多く、先が長い。だから国・民間ともに研究投資の対象になりにくい。**基礎研究の大切さを理解し、先の長い研究にも投資されるようになって欲しい**」

他のテーマでも同様のことを書きましたが、あえてもう一度書きます。長い基礎研究の先に人々の生活を豊かにする技術が生まれます。日本発の研究が、不本意な理由で埋もれてしまうことのないよう、私たちも声をあげていかなくてはいけません。今、私たちが声をあげることで、未来の人たちの生活が変わるのです。

あえて困難に挑戦を

私は広島出身なため、小学生のころから原子爆弾について学び、「原子力」という言葉にはネガティブなイメージだけがありました。今は化学を学んだおかげで「良い」「悪い」ではなく「人間が作り出した技術の1つ」と考えられるようになりました。どんな技術も「人がコントロールできる範囲で、環境に配慮し、人や動物が幸せになるために使う（それができないなら使わない）」。これは原子力も例外ではありません。

特に日本は、原爆と原発事故の両方を経験している唯一の国です。慎重になるのも、過去を忘れずにいることも、とても大切なことだと思います。ただ、少しだけ、偏ったイメージになっていないでしょうか。胸が高鳴ったあの火星の映像の向こう側にも、原子力のチカラが使われているのです。

本当の怖さを知っている日本だからこそ発信できる言葉や発想、そして技術が必ずあるはずです。そのためには、ネガティブなイメージだけに支配されることなく原子力と向き合っていかなくてはいけません。怖い経験をした私たちにとって、それは難しいことかもしれません。それでも「日本だからこそできた」と言える日が来ると、私は信じています。

火星探査車パーシビアランスのパラシュートに記されていた暗号は、ＮＡＳＡが発表した約６時間後にはネット上で解読されていました。浮かび上がった言葉は「**dare mighty things（あえて困難に挑戦を）**」。これはルーズベルト大統領の演説の一節であり、

NASAのジェット推進研究所のモットーとのことですが、今の私たちに必要な言葉なのかもしれません。

坂田薫の〝明日から使える〟化学雑学講座

「放射性同位体で化石の年代測定ができるってほんと？」

本当です！（ゴルゴ13ファンの方！　必見です!!）

小学生のころ「これは1万年前の化石です！」などと言われると、「そんなこと、どうしてわかるのさ？」と疑問に感じませんでしたか。実はこれ、放射性同位体である「炭素14（^{14}C）」を利用して化石の年代を測定しています。少しややこしく感じるかもしれないので、ここから、集中してゆっくり読んでくださいね。

「^{14}C」は放射性同位体なので放射線を出しながら壊れていきます。しかし、宇宙線が地球の大気に入射する際、常に「^{14}C」が生じているため、自然界には「^{14}C」が一定の割合で存在しています。そして、地球上の生物は呼吸や光合成など、自然界とのやりとりで「^{14}C」を常に取り入れているため、生存中は体内に一定量の「^{14}C」が存在しています。この量を1としましょう。

そして、死んでしまうと自然界とのやりとりがなくなり、「^{14}C」を取り入れることがないため、体内の「^{14}C」は壊れて減少していきます。壊れて半分になるまでにかかる時間が半減期でしたね。「^{14}C」の半減期は５７３０年なので、生存時１だった「^{14}C」が、死後、減少して２分の１になるまでに５７３０年かかるということです。さらに半分の４分の１になるまでに、また５７３０年。そのさらに半分の８分の１になるまでに、また５７３０年……。このように、５７３０年経過するたびに「半分」になっていくのです。

例えばある化石に含まれている「^{14}C」の量が、生存時の８分の１の量だったとき、この化石は、死後、「半分」を３回繰り返していることになります（１の「半分」の「半分」の「半分」で８分の１）。すなわち、死後に半減期を３回経験しているのです。

よって、半減期５７３０年が３回分で、「5730×3=17190年前」に死んだ化石だとわかるのです。

人類は「^{14}C」を利用して、何万年も前の化石の年代を測定する方法を見つけ、今度は同じ「^{14}C」で数千年先まで続く電池を作ろうとしています。こんなところを私はロマンチックに感じてしまい、化学から離れることができずにいます。

画期的がん治療の主役は「液体のり」⁉

『がん全体の10年生存率は59・4％　全国24万症例対象の大規模調査』

（2021／4／27毎日新聞）

国立がん研究センターは27日、2008年にがんと診断された人の10年後の生存率を発表した。胃や大腸など、がん全体で59・4％だった。専門的ながん医療を提供している全国240施設の約24万症例を対象にした調査で、これまでに発表された10年生存率の統計で、最も大規模なもの。同センターは「がんはまだまだ不治の病と思われているが、そうではないと知ってほしい」としている。

□液体のりが進化させたがん治療「ホウ素中性子捕捉療法（ＢＮＣＴ）」
□がん細胞が栄養と勘違いするＢＮＣＴ薬剤。注射後に放射線を照射
□従来の放射線治療は正常な細胞も傷つけたが、ＢＮＣＴはがん細胞のみ破壊

画期的な第5のがん治療法

みなさんは、いつか必ず来る「最期」を想像したことはありますか？　身近な人が亡くなるなど、死と向き合うことになったとき、自分自身の最期について考えた経験があるのではないでしょうか。「眠るように逝きたい」「家族の世話にならないように逝きたい」などの願望とともに、多くの人が思い浮かべたのは「がん」による死だと思います。

それくらい、日本人にとって「がんが死因の第1位」であること、「約3人に1人はがんで亡くなっている」ことは周知の事実です。実際、厚労省のデータでも、令和元年

にがんで亡くなった人の割合は28・2％となっており、まだまだ他人事ではありません。

では、みなさんはがんの治療法をどのくらいご存知でしょうか。三大治療法である「手術（物理的にがんを切除）」「化学療法（化学物質を投与し、がん細胞を消滅・抑制）」「放射線治療（放射線でがん細胞のＤＮＡを破壊し、がん細胞の増殖を阻止）」は定番ですね。それに加え、第４の治療法として２０１８年にノーベル賞受賞で話題になった「免疫療法（免疫の力を利用し、がん細胞を攻撃）」。そして今、**第5の治療法として期待されているのが「ホウ素中性子捕捉療法（Boron Neutron Capture Therapy、以下ＢＮＣＴ）」です。**

ＢＮＣＴは日本発の医療技術で、体が弱った方や高齢者にも負担が少ないことから、今、もっとも期待されている治療法の１つです。なんとこの治療法、**がん細胞だけをピンポイントで破壊できるのです！**　それだけではありません。**たった1回で治療完了！**　これだけ聞くと、夢のような治療法ですよね。

しかし、ＢＮＣＴには、どうしても克服しなくてはならない１つの課題がありました。その課題を解決したのが、私たちにとって身近な、あの**「液体のり」**だったのです。

ＢＮＣＴに使用する薬剤

がん細胞は増殖するときにたくさんの栄養を必要とするため、正常な細胞に比べて多くの糖やアミノ酸を細胞内に取り入れます。その中で、がん細胞のみが取り入れるアミノ酸に「フェニルアラニン」といわれるものがあります。このアミノ酸に「ホウ素（元素記号Ｂ）」とよばれる原子を結合させた化合物がＢＮＣＴに使われる薬剤（以下、ＢＮＣＴ薬剤）です。フェニルアラニンとＢＮＣＴ薬剤は「ホウ素Ｂ原子があるかないか」の違いだけで、とてもよく似ています。

お気付きになりましたか。そうです！　がん細胞の栄養であるフェニルアラニンにそっくりな「なんちゃってフェニルアラニン（ＢＮＣＴ薬剤）」を、がん細胞に取り込ませようという作戦です！　そんな「『ＣＨＡＮＥＬ』のバッグだと思ったら『ＣＨＡＮＥＬ』だった！　やられた!!」程度のひっかけに、がん細胞が引っかかるわけないですよね。

それが、思い切り引っかかってくれます。人間の思惑通りに、がん細胞はホウ素Ｂ原子がくっついた「なんちゃってフェニルアラニン（ＢＮＣＴ薬剤）」を栄養と勘違いして取り込んでいきます。これにより、がん細胞のみが細胞内にホウ素Ｂ原子を持つことになります。この**「がん細胞のみにホウ素Ｂ原子が含まれる」**というのがポイントです！

頭の片隅において、ゆっくり読み進めてくださいね。

ＢＮＣＴが画期的な理由

ＢＮＣＴ薬剤を注射し、がん細胞のみにホウ素Ｂ原子が含まれる状態を作ったあと、「中性子線」といわれる放射線を照射します。すると、がん細胞内でホウ素Ｂ原子が分裂し、２つの粒子（以下、２粒子）に変化します。ここで使用する中性子線はエネルギーが非常に低いもので、細胞を傷つけるリスクはほとんどありませんが、ホウ素Ｂ原子から生じる２粒子は細胞を破壊する力を持ちます。しかも、２粒子が破壊できる細胞は１個だけ！　すなわち、**破壊されるのはホウ素Ｂ原子を含むがん細胞のみで、隣の正常な細胞には影響がない**のです。ここが、がん細胞だけでなく正常な細胞まで傷付けてしまっていた従来の放射線治療とは、決定的に異なる点です。

そして、従来の放射線治療もBNCTも「がん細胞のDNAを切断」してがん細胞を破壊しているのですが、切断するDNAの本数が異なります。従来の放射線治療で使用する放射線は、2本鎖になっているDNAのうち1本しか切断できないため、DNAが修復されて再発する可能性があり、複数回の照射が必要です。それに対して**BNCTでホウ素B原子から生じる2粒子はDNAを2本とも切断するため、修復が不可能となり、1回の照射でがん細胞が死滅する**のです。患者への負担が少ないのは明らかですよね。

この画期的ながん治療法であるBNCTですが、すでに臨床の段階に入っています。脳腫瘍の患者に対してBNCTをおこなった結果、10年後のMRIで腫瘍が完全に消失したり、アスベストによる肺がんで肋骨からはみ出すほど拡大していた腫瘍が縮小し、モルヒネを必要とする痛みが数日で消退するなど、すでにいくつもの成功例が生まれています。

しかし、このBNCT。がんの治療法として普及させるためには、1つの大きな課題を克服する必要があったのです。

ＢＮＣＴが抱える課題

ＢＮＣＴが抱えていた課題。それは「ＢＮＣＴ薬剤ががん細胞内に留まる時間と量を増やすこと」です。じつは、がん細胞が取り入れたＢＮＣＴ薬剤は、時間とともに細胞外へ排出されてしまうのです。注射から３時間後には細胞内の量が減り始め、６時間後には３分の１程度になってしまうとか。ＢＮＣＴは「がん細胞内にホウ素Ｂ原子が存在すること」で成立する治療であるため、ＢＮＣＴ薬剤が細胞外に排出され始めると治療効果が落ちてしまうのです。

しかし、ＢＮＣＴでは薬剤投与から中性子線の照射まで、最低でも数時間はかかってしまいます。治療効果を維持するには、より長い時間、薬剤を細胞内に留めておく必要があるのです。

また、現在、ＢＮＣＴに使用する「エネルギーの低い中性子」を安定して充分な量で生産することができるのは、京都大学複合原子力科学研究所の研究用原子炉（ＫＵＲ）のみです。原子炉は装置が大掛かりで建設費がかかること、また原子炉等規制法などにより病院に併設させることが困難であることから、最近の臨床研究では、ＢＮＣＴの普及に向け、より安全で簡便でコンパクトな「加速器型中性子線源」とよばれるものが主流となっています。しかし、現状の加速器型中性子線源から得られる中性子の量は、原子炉のそれより少なく、浅い部分のがんに適応範囲が限定されると考えられています。治療の適応を深部にまで広げるには、がん細胞内のホウ素Ｂの量を長期的に高濃度で維持することが求められるのです。

「ＢＮＣＴを普及させるためには、ＢＮＣＴ薬剤ががん細胞内に留まる時間と量を増やさなくては。いったいどうすれば……」。この課題を解決してくれたのが、あの**「液体のり」**でした。

液体のりを利用したＢＮＣＴ

まず、液体のりの主成分は「ポリビニルアルコール」という生体適合性が高い物質です。そして「ポリビニルアルコールとＢＮＣＴ薬剤を水中で混ぜ合わせたもの（以下、新薬剤)」を注射すると、従来の薬剤の約3倍の量ががん細胞に取り込まれ、留まる時間も長くなり、BNCTの効果が向上することがわかったのです。このような効果が出たのは、従来のBNCT薬剤と新薬剤では「がん細胞内の取り込まれる場所が変わったため」と判明しています。

さらに、マウスを使った実験では、新薬剤によるBNCTで、大腸がんがほぼ根治した状態になったという研究結果が出ています。

新薬剤は「従来のBNCT薬剤とポリビニルアルコールを水中で混ぜるだけ」という簡便さに加え、このような非常に高い治療効果も確認できたため、今後の臨床応用が期待されています。

ところで、「ポリビニルアルコール+ホウ素B原子(BNCT薬剤)」という組み合わせに、懐かしい気持ちになった方はいませんか。実はこの組み合わせ、子供のころに遊んだ「スライム」そのものなのです。そのため、この発見は「スライムの化学」と表現され、ニュースで取り上げられました。

このポリビニルアルコールを使ったBNCT研究の第1人者である東京工業大学助教

の野本貴大博士は、ポリビニルアルコールに注目した理由を次のように語りました。

「ホウ素Bの薬剤と合わせるのは、単純な構造の大きな分子が最適だと思いました。子供のころにスライムを作った経験から、ホウ素Bと聞くと真っ先にポリビニルアルコールが浮かんだのです。そして、限られた研究費の中でできるだけ安価に……という意味でも、ポリビニルアルコールが適していると考えました」

困難な状況において、その打開策となるヒントは、当たり前の日常の経験の中に転がっているのかもしれませんね。

がんに苦しむ人たちへの一筋の光

私の父はがんで亡くなりました。病院に行ったときには、すでに末期でした。医師から余命3ヶ月と宣告を受けたばかりの父が、ある日、新聞に載っていたがんの治療薬の記事を見つけ「これが早くできれば、お父さん、もう少し生きてられるかなあ」と笑ったときの顔を、私は今も忘れることができません。そして10年以上が経った今でも、新しい治療法や治療薬に関する話題を目にするたび「これがあれば、もう少し長く父と過ごすことができたかもしれない」などと考えてしまうのです。

ポリビニルアルコールを利用したBNCTの実用化に関しては、一般的に、臨床試験を始めて7～8年で承認申請となるため、この研究でも同程度の時間がかかるのではないかと考えられています。そのため、実用化までもう少し時間がかかりそうですが、今現在、そしてこれから先の未来において、がんという病に苦しむ方々や、ともに戦う家族そして医師の方々にとって、この治療法が一筋の光になることを願ってやみません。

坂田薫の〝明日から使える〟化学雑学講座

「液体のりが白血病の研究にも使われたって本当？」

本当です！「液体のり、医学の研究でどれだけ活躍するんだ？」って思いますよね。

2019年5月、東京大学が「液体のりを使用し白血病の治療に必要な造血幹細胞を大量に培養することに成功した」と発表しました。朝日新聞の記事によると、それまでどんなに高価な培養液でもほとんど増やせなかったのが、市販の液体のりで培養でき、専門家は「まさにコロンブスの卵だ」と驚いているとか。

ちなみに、東京大学の研究では市販の液体のりがそのまま使用されましたが、野本博士によるBNCTの研究では、独自にポリビニルアルコールを合成して使用されました。

この2つの研究はほぼ同時期に報道されたため、液体のりが立て続けに注目されました。「液体のりでがんが治る」といった表現の記事もあったことから、SNSでは「液体のり」がトレンドにランクイン。東京大学が使用した液体のりの販売元である文具メーカーには問い合わせが殺到し、文具メーカーから「一般消費者の方の本来の目的以外のご使用はおやめくださいますようお願いいたします」と注意喚起があったほどです。

ここまで読んでくださったみなさんには必要ないと思いますが、念のため、私からもお伝えしておきます。「液体のりを直接体内に入れても、がんは治りません」。

「光触媒」が三次喫煙もシャットアウト！

『光触媒技術で新型コロナ99・9％不活化　東大チーム』

（2021／5／21テレ朝ニュース）

東京大学などの研究チームが光触媒とよばれる技術を使って新型コロナウイルスの感染力を失わせることができるという研究結果を発表しました。

東京大学の間陽子特任教授によりますと、新型コロナウイルスを浮遊させた箱の中の空気を光触媒を使った空気清浄機で20分間、循環させたところ、感染力が99・9％減少しました。

□コロナ禍で脚光を浴びる日本発の技術「光触媒」とは一体どんなものか？
□酸化チタンをコーティングした屋根はなぜ「お掃除不要」なのか？
□消したタバコの残留物から発生する「三次喫煙」被害にも光触媒が有効か

コロナ禍に大躍進、光触媒

「光触媒コーティング済」。みなさんはコロナ禍、この文字を何度も見かけたのではないでしょうか。仕事帰りのタクシーの中で、行きつけの美容院で、はたまた家族で出かけたレストランで。

光触媒がコロナ禍で大きく注目されるようになった1つのきっかけは、2020年9月「奈良県立医科大学などの研究グループが、世界で初めて（可視光応答型）光触媒材料による新型コロナウイルスの不活化を確認した」というニュースだったように思います。さらに同年10月、例年同様、ノーベル化学賞の有力候補の1人として、光触媒を開発した東京理科大学栄誉教授の藤嶋昭博士の名が挙がったことも、「光触媒」という言葉を浸透させる追い風になりました。

しかし、新型コロナウイルスが現れるずっと前から、みなさんはいろんな場所で光触媒の活躍を目にしていたのです。気付いていましたか？　東京駅八重洲口のグランルーフ、新幹線の喫煙所に設置されている空気清浄機、空港のトイレ、家電量販店で見かけた冷蔵庫など、様々です。日本だけではありません。イタリアのローマ教会、エジプトピラミッドの採掘現場、そして宇宙ステーションなど、世界中、いや宇宙にまで広がっているのです。

そして今、光触媒は「三次喫煙」や「人類が抱えている諸問題」を解決できる救世主かもしれない！　と、さらなる研究が進められています。そんな大きな可能性を秘めている日本発の技術「光触媒」。その正体は、一体どんなものなのでしょうか。

化学反応と触媒

化学反応には「進みやすい反応」と「進みにくい反応」があります。進みにくい反応を促進させるときは、通常、加熱したり、「触媒」とよばれる物質を加えたりします。触媒とは「(反応前後で自身は変化せず) 反応を進めるお手伝いをしてくれる物質」です。

例えば、空気中の約8割を占めている「窒素」。窒素は極めて安定な物質で、簡単には反応しません。空気中でライターの火をつけても窒素は燃えませんよね (もし燃えるなら、空気中で火をつけると大惨事になるはずです)。そのくらい、窒素は安定で反応しにくいのです。当然、窒素と水素を混ぜ合わせても反応は進行しません。しかし、高温高圧下で触媒を用いると反応が進行し、アンモニアという物質に変化します。ちなみにこのアンモニア、昔から肥料の原料として利用されていますが、カーボンフリーの次世代エネルギーの1つとして今、密かに注目されているのですよ。

そして、触媒はみなさんの体の中にもあります! 体内で触媒として働く物質は「酵素」とよばれています。例えば、お米をしっかり噛むと甘みを感じませんか? これはお米（でんぷん）が分解されて、甘みのある糖に変化するためです。これは進行しにくい反応ですが、唾液中に含まれる酵素（触媒）の働きによって進行しています。このように、触媒は実験室や工場だけでなく、みなさんの体内でも活躍しているのです。

光触媒と酸化チタン

触媒の中には「光が当たったときだけ働くもの」があります。それが**「光触媒」**です。最も有名な光触媒の反応は、小学校から学ぶ「植物の光合成」。これは「水と二酸化炭素から、糖（ブドウ糖）と酸素ができる」という反応ですが、「光（日光）」が必須！「光」が当たることで、植物の葉緑素が「触媒」として働き、光合成が進行します。葉緑素は天然の光触媒なのです。

この葉緑素と同じように光触媒として働く物質が、１９６７年、藤嶋博士により発見されました。その名も**「酸化チタン」**。みなさんは聞いたことありますか？　あまり、聞き覚えのない名前かもしれません。しかし、この酸化チタン。みなさんの身近なところで、様々な用途で利用されています。

例えば、「白い」ので白色塗料や絵の具。「硬い」ので歯磨き粉や人工宝石。「無毒」なのでホワイトチョコやケーキなどの食品添加剤。「紫外線を吸収する」ので日焼け止めなどです。日本では、1人当たり年間2kgの酸化チタンを消費しているのだとか。知らないうちにお世話になっている物質だったのですね。

「光触媒コーティング済」の理由

酸化チタンに光触媒の働きがあることが発見されたのは「酸化チタンを水の中に入れて紫外線（UV）を当てると、水が分解されて酸素が発生した」ことがきっかけでした。水の分解は進みにくい反応で、自発的に進むものではありません（通常、電気分解をおこないます）。酸化チタンの光触媒としての働きにより、水が分解されたのです。

酸化チタンが分解するのは水だけではありません。ウイルスや細菌だって分解してくれます！　そのチカラは「銅のマスク」でお話しした「活性酸素（ラジカル）」によるものです。覚えていますか？「攻撃的な酸素」でしたね。酸化チタンにUVが当たると、表面で接している空気中の酸素と水が、それぞれ活性酸素に変化し、その活性酸素によりウイルスや殺菌がやっつけられるのです。

ここまで読んで、「UVが当たらないとダメなら、感染リスクの高い屋内では使えないじゃん！」と思った人はいませんか？　どうかご安心を。すでに蛍光灯やLEDの光にも反応する光触媒の研究が進み、実用化されています。病院や空港、学校で検証試験がおこなわれ、その効果はもちろん確認済み！　新型コロナウイルスへの有効性も報告あり！　それゆえ「光触媒コーティング済」だったのですね。飲食店のテーブルや椅子、トイレなどを光触媒でコーティングしておけば、室内光が当たることでウイルスをやっつけてくれるのです。

光触媒でお掃除いらず？

光触媒には、もう1つ、大切な性質があります。それが「**超親水性**」です。

例えば、フッ素コーティングされたフライパンの上に水滴を落とすと、水滴は丸く盛り上がってフライパンの上を転がります（撥水性《はっすい》）。それに対し、綺麗に磨かれたガラスの上に水滴を落とすと、水滴は平らに広がっていきます（親水性）。同様に酸化チタンに水滴を落として光を当てると、酸化チタンの表面が水と馴染みやすい状態に変化し、水滴は非常に薄い膜となって表面に広がっていきます。これが「超親水性」です。

酸化チタンの超親水性は、1995年、光触媒を使ったタイルの研究のなかで発見されました。この性質を活かし、すでに多くの場所で利用されています。

例えば、東京駅八重洲口にあるグランルーフ。みなさんは見上げたことはありますか？ とっても大きくて、真っ白な屋根です。「いつ見ても白いけど、お掃除大変だろうなあ」と余計な心配をしてしまいそうですが、**基本的にお掃除は必要ありません**。

酸化チタンをコーティングしておくと、太陽光（UV）により「超親水性」になり、空気中の水分が薄い膜となって広がります。そしてその膜に、汚れや菌が付着します。汚れは雨が降るだけでも容易に洗い流されますが、酸化チタンには「分解力」もあるため、水が活性酸素に変わり、膜状の汚れや菌を分解してくれるのです。

これを「セルフクリーニング効果」といい、お家の外壁やガラス、標識など広い範囲で利用されています。

ちなみに、私は以前、神奈川県にある「光触媒ミュージアム」を訪れたことがあります。ミュージアムの中庭のような場所に、「光触媒でコーティングしたテント」と「コーティングしていないテント」が並べて設置してあったのですが、その差は一目瞭然！コーティングしていないテントは黒く汚れているのに対し、コーティングされたテントは白いままだったのです。当時「設置して2年弱」と聞いたのですが、約2年間、屋外に放置したテントが白いままだなんて、通常では考えられないですよね。

一軒家にお住まいの方は、是非、外壁の光触媒コーティングを検討されてはいかがでしょうか。きっと、「お掃除なしでも綺麗なお家」を手に入れることができますよ。

三次喫煙への有効性

さて、みなさんは**「三次喫煙」**という言葉をご存じでしょうか。2021年1月、「イ

オン従業員　出勤45分前から喫煙禁止に」というニュースで初めて耳にした方も多かったと思います。一部病院や役所では、以前から三次喫煙対策が取り入れられていましたが、イオン・グループは誰もが知っている企業であったこと、また、対象となる社員が45万人と非常に多かったことでインパクトがあり、三次喫煙という言葉が一気に知られることとなりました。

念のため、確認しておきましょう。喫煙者本人がフィルターを通じて煙を吸い込む「一次喫煙」。喫煙者の周りにいる人がフィルターを通さず煙を吸い込む「二次喫煙」。いわゆる「受動喫煙」ですね。そして、**タバコを消した後の残留物から有害物質を吸収する「三次喫煙」です。**タバコの煙は家具に付着し、カーテンや壁紙に染み込み、それらを直接触ったり、揮発して空気中に浮遊しているものを吸い込んで有害物質を体内に取り込んでしまうのです。タクシーに乗ったり、カラオケボックスに入った瞬間「なんか、タバコくさいな……」と感じたことはありませんか？　それがまさに三次喫煙です。

三次喫煙の問題点は「一番の被害者が乳幼児やペット」であること。「三次喫煙」という言葉を作った米国立がん研究センターによると、「乳幼児は大人より呼吸数が多く、有害物質を吸い込みやすい」とあります。また、壁や床を触り、その手を口に持っていくことも多いため「乳幼児の原因不明の突然死は三次喫煙が原因ではないか」という指摘もあるのです。

そして、さらなる問題は三次喫煙への対策がほとんどないことです。二次喫煙は「人のいないところで喫煙する」「優秀な空気清浄機を使用する（新幹線では光触媒を使った空気清浄機が利用されています）」など対策がありますが、三次喫煙への対策は、イオン・グループのように「出社45分前から禁煙」くらいしかありません。喫煙後、45分間は呼気の中に有害物質が含まれているためです。

しかし、45分経っても、髪の毛や服についている有害物質は消えていないため、根本的な解決にはなりません。有害物質を通常のお掃除で完全に取り除くことは難しく、「喫煙をやめても、数ヶ月は部屋に有害物質が残る」といわれているほどです。三次喫煙の問題を解決するのは、簡単ではないのです。

こんなにも長くなってしまいましたが、私は喫煙自体を批判しているのではありません。私が伝えたいのは**「この三次喫煙の問題も光触媒が解決してくれるかもしれない」**

ということです！

２０２０年、ＫＩＳＴＥＣ主任研究員の落合剛博士により、三次喫煙にも光触媒が有効であるという論文が発表されました。論文によると、繊維に光触媒を付着させた不織布にタバコの煙を吸収させた後、光を照射すると、吸収された煙の「におい」や「ヤニ」の多くが分解されたとのこと。分解にかかる時間など、いくつかの課題はありますが、壁紙や服などに利用されれば、科学のチカラで「喫煙者と非喫煙者が、ともに快適に過ごす世界」が叶うかもしれませんね。落合博士は次のように述べています。

「快適な暮らしをつくる光触媒は、多くのＳＤＧｓとも関係する、日本が世界に誇る科学技術です。特に最近は新型コロナウイルスにも効果があることが報告されており、さらに期待が高まっています。しかし、すべての科学技術がそうであるように、**光触媒も、性質を理解して適切に使わないと期待した効果が出せません**。我々研究者もいろいろな情報をわかりやすく発信していきますので、みなさんも、**科学技術に興味を持って、理解を深めてくださると嬉しいです**」

冒頭のニュースを、みなさんはどのように理解されたのでしょうか。「空気清浄機から活性酸素が飛んで行って空気中のウイルスを不活化する」と思った人はいませんか。これは、間違っています。正解は「空気清浄機のフィルターが光触媒で、フィルター上でウイルスが不活化し、その結果、空気中が浄化される」です。「理解して、適切に使う」は意外にできていないことなのかもしれませんね。

ゆるぎない信念

1967年、当時大学院生だった藤嶋博士は半導体の研究をおこなっていました。その中で、酸化チタンに光触媒としての性質があることを偶然、発見したのです！（カーボンナノチューブの飯島博士を思い出してしまいます）

しかし、水から酸素を取り出すには、通常、電気分解が必要であることから、藤嶋博士の発見はなかなか信じてもらえませんでした。藤嶋博士は2019年に出演したラジオ番組で当時のことを次のように語っています。

「学会で発表しても誰にも信じてもらえず『もっとよく電気化学を勉強して、出直してこい！』と批判の嵐だった」

半信半疑の声が上がるなか、藤嶋博士は光触媒の可能性を誰よりも強く信じ、学生の身で自ら特許を取得します。その「ゆるぎない信念」があったからこそ、諦めずに光触媒の研究を続けることができたのでしょう。

そして1972年科学誌「ネイチャー」に論文が掲載され、世界から注目されるようになりました。その後、藤嶋博士は数々の賞を受賞。今では、光触媒は日本を代表する技術として、日本だけでなく、世界、そして宇宙でも利用される技術となりました。

藤嶋博士は次のように述べています。

「どの人もが望んでいる快適な空間のもとで、天寿を全《まっと》うすることに対し、少しでも寄与できること。これこそ私たち研究者が研究をする目的です」

深刻化する様々な問題に対し、残念ながら、私たちは便利な生活を手放してまで取り組もうとはしません。便利な生活はそのままに、それら問題を解決してくれるのは科学技術のチカラしかないのです。1人の博士の「ゆるぎない信念」から誕生した光触媒も、その1つなのです。

坂田薫の〝明日から使える〟化学雑学講座

「自動車にも触媒が使われてるってほんと？」

本当です！　車社会に生きる私たちにとって、もっとも身近な触媒かもしれませんね。

戦後の日本では、自動車の排ガスは黒煙だったといいます。しかし、現在走っている自動車で黒煙を上げているものは見ませんよね。これは、自動車が排ガスをきれいにしてから排出しているためで、このときに活躍しているのが触媒なのです。

エンジンからの排ガスに含まれる有害物質でもっとも多いのが「窒素酸化物」で、通常「ノックス（NOx）」とよばれています。発生源はボイラーやエンジンなどの燃焼装置で、空気中の窒素と酸素が反応して生じます。

「窒素は安定で反応しないって言ったじゃないか！」と思われたかもしれません。その通り。簡単には反応しません。じつはボイラーやエンジンは８００度以上と高温なのです。たしか、進みにくい反応を促進させるには「高温」か「触媒」でしたね。これだけの高温だと、窒素も反応してしまうのです。

こうして生じるノックスは、吸い込むと呼吸障害を引き起こします。また、雨に溶け込むと酸性雨となるのです。これを防ぐため、排出前に触媒に通じて、有害なノックスを無害な窒素に変えてから排出しているのです。触媒のおかげで、有害物質を気にすることなく毎日車に乗れると思うと、触媒のチカラは偉大ですよね。

そういう私は、自動車の免許を持っていないので運転することができません。そしてぐうたらなので、コロナ禍、「少しでも人との接触を減らすため」という理由で自分を納得させ、どこに行くにもタクシーを利用しています。さすがに徒歩10分圏内は、歩いて移動したいものです。

塗って作る!? ペロブスカイト太陽電池

『東芝が世界最高を達成、次世代太陽電池「ペロブスカイト」のエネルギー変換効率15・1%に』

(2021/9/11日刊工業新聞)

東芝は、エネルギー交換効率が世界最高の15・1%を達成したフィルム型ペロブスカイト太陽電池を開発した。従来の自社開発品比で1ポイント向上。サイズは世界最大の703平方センチメートルを維持しながら新たな成膜法により現在主流の多結晶シリコン型と同等の変換効率を実現した。今後、大面積化と高効率化を進めて2025年に実用化の目安となる1ワットあたり15円の製造コストを目指す。

□世界的に話題の「塗って乾かす」ペロブスカイト太陽電池は日本発！
□3つの特徴「安い」「薄くて軽い」「直射日光でなくても発電可能」
□「開発で勝って、ビジネスで負ける」を繰り返さないために

太陽エネルギーのポテンシャル

2020年10月。菅義偉《よしひで》首相（当時）が「2050年に温室効果ガス排出を『実質ゼロ』にする目標」を表明しました。**これから自動車が電気で走る時代になり、2050年の電力需要は今の2倍ともいわれています。その中で二酸化炭素の排出は『実質ゼロ』にしなくてはいけません。**

そこで今、もっとも期待されているものの1つが太陽エネルギーの利用です。というのも、地上に降り注ぐ太陽エネルギーは全世界の電力需要の4700倍以上！　実際に

収集できるのはそのうちの180分の1くらいですが、それでも、人類が消費するエネルギーの55倍以上もあり、「ゴビ砂漠の半分を市販の太陽電池で埋めれば、全世界のエネルギーをまかなえる」ともいわれています。しかも、太陽の寿命は残り約50億年だとか。太陽光は、事実上無限のエネルギーなのです。

しかし、先述のニュースにもあるように、太陽光発電は発電量が日照時間などに左右されるため、安定して電力を供給するには蓄電池にためておく必要があります。また、太陽光パネル設置のコストや場所などの問題を抱えており、普及が進みにくいのが現状です。これら課題を克服し、**太陽光エネルギーを地球上でうまく回収、利用することができれば、増え続けるエネルギー需要を満たすと同時に、二酸化炭素排出『実質ゼロ』だってかなえることができるのです。**

その大本命として世界中から注目されているのが、日本発の次世代太陽電池です。その名も**「ペロブスカイト太陽電池」**！　この電池。名前は難しいですが、作るのはとても簡単！　**なんと「塗って」作ることができるのです。**

太陽電池と半導体

太陽光エネルギーを電気エネルギーに変える装置が「太陽電池」です。そして、太陽電池には「半導体」が使われています。「半導体」という言葉は、日常生活の中でよく聞きますね。みなさんは「半導体」とは何か、説明できますか。

半導体とは「金属のように電気を流すもの（導体）と、ゴムみたいに電気を通さないもの（絶縁体）の中間の性質をもち、光や熱、不純物の添加といった条件で電気を通すもの」で、太陽電池は半導体に太陽光が当たることで発電します。

そして、半導体の代表例は「シリコン」です。アメリカ合衆国カリフォルニア州北部のサンフランシスコ・ベイエリア地域南部が「シリコンバレー」とよばれるのは、もともと、この地域に半導体メーカーやコンピューター産業が集中していたことが始まり、というのは有名な話ですね。

従来の太陽電池の多くは、このシリコンが使われており「壊れにくい」「交換効率（太陽光エネルギーから取り出せる電気エネルギーの割合）が高い」というメリットがあります。しかし「材料や製造コストが比較的高い」「製造過程で多くのエネルギーを必要とする」「重く、厚いため曲げることができず設置場所が制限される」などのデメリットを抱えており、普及を妨げる原因となっています。

みなさんも、お家の屋根や広い土地に設置された太陽光パネルを一度は見たことがありますよね。「気軽に手を出せるものではないな」というのが正直な印象でしょうか。では、安くて性能がよく、しかも畳んで収納することも可能なフィルム状の太陽電池だったらどうですか？　私なら、この本を放って今から買いに行っちゃいます。そんな、「本当に？」と疑ってしまうような太陽電池が「ペロブスカイト太陽電池」なのです。

ペロブスカイト太陽電池とは

結晶とは「粒子が規則正しく配列した固体」でしたね。結晶の「粒子の配列のしかた」にはいくつかの種類があり、それぞれに名前がついています。

例えば、ダイヤモンドは炭素（元素記号C）という1種類の原子が、ある規則をもって並んだ結晶です。そして、ダイヤモンドと同じ配列の結晶はすべて「ダイヤモンド構造」や「ダイヤモンド型（構造）」とよばれており、シリコンもこのダイヤモンド構造の結晶です。

このように結晶構造の名前は、その配列を取る最も代表的な物質の名前をそのまま使って表現されるものが多いのです。温水洗浄便座を「ウォシュレット」というのと同じ感覚です。「ウォシュレット」はＴＯＴＯの商品名ですが、他のメーカーのものも含め、温水洗浄便座は最も代表的な「ウォシュレット」とよんでいますよね。

同様に「ペロブスカイト（灰チタン石）」という鉱物は3種類の粒子がある規則をもって並んだ結晶で、同じ配列の結晶は「ペロブスカイト構造」や「ペロブスカイト型（構造）」とよびます。このペロブスカイト構造の物質の中に、光に対して優れた応答性をもつ物質があり、これを半導体として使用した太陽電池を「ペロブスカイト太陽電池」といいます。この、ちょっと難しい名前は**「ペロブスカイト構造の物質を半導体に利用した太陽電池」**という意味だったのですね。

ペロブスカイト太陽電池の特徴

ペロブスカイト太陽電池の特徴1つ目は、「安い」です。**シリコン太陽電池とは比較にならないほどの低コスト、低エネルギーで作ることが可能**です。なんと作り方は、ペロブスカイト構造の物質を溶かした溶液をフィルムやシートに塗布して乾かし、電極で挟むだけ！　フィルムなどへの**塗布には印刷の技術を利用できるため、製造コストを抑えることができる**のです。パナソニックはインクジェットを用いた塗布法を開発。また、京都大学は「ロール・トゥー・ロール」方式により、印刷するようにフィルム基盤に高速で塗布して作る方法を研究しています。少し気が早いですが、様々な技術の進歩の先に「家庭用のプリンターで電池を作る」なんて未来が待っているかもしれませんね。

そして、2つ目は「薄くて軽い」！

フィルムなどに溶液を塗布するだけなので、非常に薄くて軽いのです。実際に、京都大学発のベンチャー企業エネコートテクノロジーズのサンプルを見せていただきましたが、クリアファイル程度の薄さで、自由に曲げることもできました。よって、ビルの壁面、透明電極を用いて窓への適用、電気自動車の屋根、自動販売機、衣服、カーテンなど、**シリコン太陽電池では不可能だった場所に、簡単に設置することが可能**です。ロール状に丸めて家庭に1つ置いておけば、災害時の電源としても利用できるでしょう。

そして、3つ目は「直射日光でなくても発電可能」！

薄くても光をしっかり吸収するため、曇りの日や室内などの低照明下でも発電可能です!!　こうなると、「ペロブスカイト太陽電池」より「ペロブスカイト光電池」のほうが適切かもしれませんね。

最後に、みなさんが気になるのは性能でしょうか。このペロブスカイト太陽電池。耐久性や大面積化などの課題を抱えており、性能向上の競争が世界中で繰り広げられていますが、**交換効率はすでにシリコン太陽電池に肩を並べるまでに猛追**しています。

ペロブスカイト太陽電池を開発した桐蔭横浜大学特任教授の宮坂力博士は、2021年1月の日経新聞のインタビューで次のように述べています。

「2050年には太陽電池で日本の電力需要の40%をまかなうと期待しており、**ペロブ**

スカイト太陽電池がその半分を占めることも可能だと思う。大量生産できれば価格はシリコン太陽電池の半値になるだろう」

日常生活の中でペロブスカイト太陽電池を当たり前に見かけるようになるのが楽しみですね。

開発で勝って、ビジネスで負ける

しかし、楽観してばかりもいられません。冒頭の「東芝が大面積のフィルム型ペロブスカイト太陽電池のモジュールとしては世界最高効率の15・1%を達成した」というニュースとほぼ同時期に「ポーランドのスタートアップがペロブスカイト太陽電池の量産に入る」というニュースも流れていたのです。中国やイギリスは来年から量産の予定とか。「開発で勝って、ビジネスで負ける」という苦い経験を、日本は繰り返してしまうのでしょうか。

今回、海外勢が量産を先行した理由の1つに、開発者の宮坂力博士が技術の基本的な部分について海外での特許を取得していなかったことがあります。海外での特許取得には多額の費用がかかるためです。しかし、問題はそれだけではありません。宮坂博士は先述と同じインタビューで次のように述べています。

「中国には20～30代の若手を中心に研究者がざっと1万人はいると聞く。日本の10倍超にもなる人数だ。日本の研究者の方が質は高いかもしれないが、**技術開発では汗をかきながら実験を進めるマンパワーが必要だ**」

日本は技術開発に関して、研究者任せにしすぎたのではないでしょうか。海外での特許取得に関する援助や、研究開発における人材の確保など、今、国が動かなければ、今後も「研究開発で勝って、ビジネスで負ける」が繰り返されてしまうでしょう。国は、日本の研究や研究者を、もっと大切に守っていかなくてはいけません。

300年後の人類

今まで私たち人間は、地球に甘え、自分たちの利益を優先させて生きてきました。その結果が、今ある環境問題やエネルギー問題です。これらの問題と向き合い、地球を未来につなぐことを真剣に考えなくてはいけません。

そうはいっても、日々の生活の中でなかなか意識できないですよね。「意識しないようにしている」が正解でしょうか。私たちは、自分が生きている「今」ばかりを見てしまいがちなのです。

それに対して、研究者の方々の目は常に未来に向いています。ペロブスカイト太陽電池の研究におけるトップランナー京都大学教授の若宮淳志博士は、インタビューで次のように述べています。

「300年後の人類は確実に、化石燃料に頼れない生活を送っているはずです。そのとき、何世代も先の僕の子孫に**『自分の祖先がこの研究をしてくれていて助かった』**と振り返ってもらえるような研究をしたい」

300年後、私たちの子孫はどのような生活を送っているのでしょうか。セルロースナノファイバーでできた電動自動車に乗り、その屋根にはペロブスカイト太陽電池があるのでしょうか。宇宙行きエレベーターで日帰り宇宙旅行を楽しみ、「昔の人間はがんで死んでいた」と笑い話にしているのでしょうか。ふとした瞬間に、太陽の輝く空を笑顔で見上げているでしょうか。

私たちは300年後の世界を見ることはできません。しかし、太陽は変わらず地球に光を届けてくれているはずです。その太陽の恵みを存分に活かして生活する未来の人々を想像させてくれるのも、科学のチカラなのかもしれませんね。

坂田薫の〝明日から使える〟化学雑学講座

「健康のためには、どのくらい日光浴したらいいの？」

言わずと知れたことですが、紫外線は美肌の天敵！　シミやシワといった肌の老化だけでなく、皮膚ガン、白内障などの原因にもなります。しかし、まったく日光を浴びないのも問題です。太陽光不足は体内時計を狂わせ、うつ病の原因にもなるといいます。

また、人間はビタミンD（丈夫な骨や歯を作るのに欠かせない栄養素）を皮膚で合成できますが、それには紫外線の助けが必要なのです！　もちろん、ビタミンDは食品（魚類やキノコ類）からも摂取できますが、皮膚で作られるビタミンDは、消化管から吸収されるビタミンDより体の中で使われやすいと考えられています。

では、ビタミンDの合成を考えると、どのくらい日光に当たるのが正解なのでしょうか。国立環境研究所のデータによると、両手と顔を太陽光に露出したと仮定した場合、紫外線の強い7月の正午で、那覇2・9分、つくば3・5分、札幌4・6分。12月の正午では、那覇7・5分、つくば22・4分、札幌76・4分とのこと。

冬の札幌以外は、すぐ「浴びすぎ」になりそうです。むしろ、浴びすぎない対策をしたほうが良さそうですね。

ちなみに私は、遺伝子検査の結果が「紫外線の影響を非常に受けやすい肌タイプの遺伝子」だったので、なるべく直射日光は浴びないよう、お出かけには日傘・サングラスは必須。加えて、ゴルフのときは紫外線防止のヴェール着用で、もう誰なんだかわからない状態です。

水素が日本にエネルギー革命をもたらす

『富士山モチーフ聖火台が登場　東京オリンピック開会式』

（２０２１／７／23毎日新聞）

東京オリンピックの開会式が23日、東京都新宿区の国立競技場で行われ、聖火台は日本のシンボルである富士山をモチーフにした。
点火台は山の頂上に置き、太陽をイメージした球体が点火時に花のように開くことで生命力と希望を表した。聖火をともす燃料には、五輪史上初めて水素を使った。

□水素は「エネルギー安全保障」「二酸化炭素削減」を実現する
□水素の製法は多彩！「ＦＨ２Ｒ」では太陽光発電を利用した電解
□水素を活用した燃料電池の分野では、日本が特許出願件数で世界第１位！

水素は日本を救う？

２０２１年７月23日。緊急事態宣言下、コロナウイルス感染者が増え続けている最中におこなわれた東京２０２０オリンピック開会式。みなさんは、聖火台に点火された瞬間をどのような思いで見つめていたでしょうか。

東京での五輪開催が決定したときから、日本は様々な準備を着々と進めてきました。その１つが**「水素エネルギーの利用」**です。２０１７年、「水素基本戦略」を決定。同年、東京都内を燃料電池バスが走り始めました。そして「オリンピック開催までに燃料電池バス１００台、燃料電池車６０００台の普及」という目標をインフラ面から後押しするため、東京ガスは２０２０年１月、豊洲に「東京ガス豊洲水素ステーション」を開所。

また、東京都は「選手村地区エネルギー整備計画」を策定。五輪の選手村に供給するエネルギーは、福島県で再生可能エネルギーから製造された水素を使用し、大会終了後には水素を活用した街にすること。そして開会式で聖火をともす燃料に五輪史上初の水素を利用することなどを決定しました。

このように、日本が水素社会の実現に向けて準備を進めてきたのは、世界に対して環境対策や日本の技術力をアピールするためだけではありません。日本にとって、世界中が注目する五輪は「困難をきわめていた水素エネルギーの普及を前進させる大きなチャンス」だったからなのです。

ではなぜ、水素エネルギーの普及を進める必要があったのでしょうか。その答えは「日本にとってエネルギー問題が深刻だから」です。

日本は一次エネルギー（自然界から得られた変換加工していないエネルギー）の90％以上を、海外から輸入する化石燃料に頼っています。そしてそれは、特定地域への依存度が高いことから国際情勢の影響を受けやすく、変化の激しい現代の国際社会においてエネルギーを安定的に確保することは、日本にとって大きな課題の1つなのです。

それに加え、次世代のエネルギーは環境問題の観点から「二酸化炭素をできるだけ出さないエネルギー」でなくてはいけません。「エネルギー安全保障の確保」と「二酸化炭素の削減」。これらをともに解消できる、日本にとって究極のエネルギーは一体何なのか……。その答えが「水素エネルギー」だったのです。

なぜ水素なのか

みなさんは、水素の原子番号を覚えていますか？　語呂合わせを思い出しましょう！「水兵リーベ……」だから、「1番」ですね。元素記号は「H」。自然界には水（化学式H_2O）やメタンガス（化学式CH_4）など、違う元素と結合した形でたくさん存在しており、宇宙の質量の4分の3を占めると言われるくらいに豊富な元素です（これは、のちほど必要になります。頭の片隅に置いといてくださいね）。

しかし、水素エネルギーに使う水素は、水素原子が2つ結合した化学式「H_2」で表される地球上で最も軽い気体で、自然界にはほとんど存在していません。空気中にはたった0・00005％！　ではなぜ、自然界にほとんど存在しない「水素（H_2）」が、次世代エネルギーとして注目されたのでしょうか。これには大きな理由が3つあります。

まず1つ目は「燃料にしても二酸化炭素が発生しない」です。燃焼させて二酸化炭素が発生するのは、化学式の中に炭素（元素記号C）が入っている物質です。先ほどのメタン（CH_4）がその例です。

それに対して、「水素（H_2）」には炭素原子が含まれていないため、燃焼させてエネルギーを取り出す過程で二酸化炭素が発生しません。なんと、生成するのは水だけ！「水素（H_2）」の製造法によっては、その過程で二酸化炭素が発生してしまいますが、それを解決できれば、「水素（H_2）」はこれ以上ないクリーンなエネルギーなのです。

ちなみに水素の元素記号Hは「Hydrogen」の頭文字です。語源はギリシャ語の「hydro（水）」と「gennao（生む・作り出す）」。合わせると「水を作り出すもの」。水素が燃えると水が発生することから名付けられたのですね。

いくつ言える？　水素の製法

「水素（H_2）」が注目された理由2つ目は「様々な資源から作ることができる」です。つい数分前を思い出してください！　たしか水素は「違う元素と結合した形で自然界にたくさん存在する」でしたね。そうです！　水素エネルギーに使う「水素（H_2）」は、水（H_2O）やメタン（CH_4）などの水素原子を含む様々な物質から作ることが可能なのです。

それでは、頑張って数十年前（?）を思い出してみましょうか。小学校から高校までに習った「水素（H_2）」の作り方。みなさんは、いくつ言えますか?

まずは「亜鉛に塩酸を加えて作る方法」（塩酸の化学式はHClで水素Hが含まれていますね）。この反応は、小学校のときに実験をした人も多いのではないでしょうか。私は、なぜか鮮明に覚えています。発生した「水素（H_2）」を水上置換で捕集し、試験管の口にマッチの火を近づけると「ポンッ」と音がしたのを。

このように、一部の金属と酸を反応させると「水素（H_2）」が発生します。しかし、この方法は、水素社会を支えていく方法としては不適切です。なぜなら、亜鉛に限らず、金属の単体はコストがかかること。そして「水素（H_2）」の発生に時間がかかるためです。水素社会を普及させるには、低コストで短時間に大量の「水素（H_2）」を作る必要があるのです。

ちなみに、酸の代わりに水（化学式H_2Oなので、やはりHが含まれていますね）を使っても「水素（H_2）」が発生します。先ほどの亜鉛なら、高温の水蒸気と反応して水素が発生しますよ。

そして、もう1つ。「水（H_2O）の電気分解」が浮かんだ人も多いのではないでしょうか。水を電気分解すると、陽極から酸素、陰極から「水素（H_2）」が発生します。すなわち、「水素（H_2）」の燃焼（水素と酸素から水ができる）の逆の反応です。この方法は、実際に相模原水素ステーションなどで利用されています。

しかし、この水の電気分解。電気分解というだけあって、電気を使用します。この電気を、化石燃料由来から再生可能エネルギー由来（太陽光や風力）のものに変えていく取り組みが進んでいます。

例えば2020年2月に福島県に完成した世界最大級の水素製造施設「FH2R」では太陽光発電の電力を用いて「水素（H_2）」を製造し、貯蔵、供給しています（この太陽光発電がいつか、ペロブスカイト太陽電池になるかもしれませんね）。

まだまだある！　水素の製法

「水素（H_2）」の製法は、学校で習った方法以外にもたくさんあります。その1つが「副生水素の利用」です。副生水素とは、工業プロセスの副産物として生成する「水素（H_2）」のことです。例えば苛性ソーダ（水酸化ナトリウム）の製造過程で発生する「水素（H_2）」は純度が高く、液体水素や圧縮水素として、すでに外販されています。

また、製鉄所からの副生水素も利用されています。例えば北九州水素タウンでは、新日本製鉄八幡製鉄所で発生する副生水素を利用し、水素ステーションや住宅などに供給する実証実験が行われています。

これら副生水素の利用は、本来の目的となる製品（苛性ソーダや鉄）の生産量に左右されるため供給量が安定とは言えませんが、副産物を活用するため、何と言っても経済的！　使わない理由はないですよね。

そして次に、「化石燃料からの製造」です。これにはいくつかの方法がありますが、天然ガスやナフサなどの化石燃料（すべて化学式にHが含まれます）を高温下で水蒸気と反応させる方法が現在の主流です。この方法は、短時間に大量かつ低コストで製造可能。さらにエネルギー効率も高く、工業的に製造方法が確立しているため、技術的な課題はほとんどありません。実際に千住水素ステーションや羽田水素ステーションなどで利用されています。

しかし、みなさん！　当然、ツッコミを入れましたよね。「化石燃料を使ってるやないか！」と。その通りです。枯渇していく化石燃料を使っていること。そして製造過程で二酸化炭素が排出されてしまうことから、本来の水素社会の目的には合いません。排出される二酸化炭素を回収・貯留する技術なども進んでいますが、化石燃料を使うことには変わりはなく、別のクリーンな方法が確立されるまでの「つなぎ」の方法となるでしょう。

これ以外にも、「メタノールやエタノールなどのアルコールから作る方法」「下水汚泥を利用する方法」「廃プラスチックを利用する方法」など様々な方法が研究されています。

燃料電池の技術は日本が世界第1位！

「水素（H_2）」が注目される3つ目の理由は「日本の高い技術力」です。その技術とは、ズバリ**「燃料電池」**。この分野における特許出願件数は、なんと、日本が世界第1位なのです！　みなさんはご存知でしたか？

燃料電池とは、物質が酸素と反応するときに放出されるエネルギーを電気エネルギーに変える装置です。ピンとこない方は、物が燃えているところを想像してみてください。何かが燃えている（酸素と反応している）ところに手をかざすと熱いですよね。それはエネルギーが放出されているからです。

このように、物質が酸素と反応すると、エネルギーが放出されます。これを電気エネルギーに変えて取り出す装置が燃料電池なのです。その中で、「水素（H_2）」と酸素の反応を利用しているのが、街で見かけるようになった燃料電池車に搭載されている燃料電池です。「トヨタのＭＩＲＡＩ」といったほうがピンとくるかもしれませんね。

水素エネルギー利用の中核となる燃料電池車。燃料電池車の普及が水素社会の普及を左右すると言っても過言ではありません。燃料電池車は、約３分の水素充填で６００㎞以上走行可能だとか。水素エネルギーの時代が来れば、燃料電池車は、みなさんの生活に直接関わるものとなるでしょう。自動車以外にも、燃料電池を使った鉄道、船などの開発も進んでいます。

ピンチをチャンスに変える日本の魂!

とはいえ、水素社会の実現は簡単ではありません。水素ステーションの数は、ガソリンスタンドの数には遠く及びません。また、水素の価格が高いことも大きな課題です。だからと言って諦めることはできません。水素社会の実現は世界共通の目標であり、未来の地球のためなのです。九州大学主幹教授の佐々木一成博士は九州大学のホームページで次のように述べています。

「日本のエネルギー研究は世界をリードしています。『資源がない』という土壌があったからこそ、景気が良くても悪くても頑張らなきゃいけない状況にあります。つまり、常にモチベーションを維持できる環境にあるんです。ピンチはチャンスなのです」

資源に乏しい国、日本。それはマイナスなどではなく、世界に先駆けて水素社会を実現できるチャンスなのです。それを表しているかのような、五輪史上初の水素を用いた聖火の炎。世界中が暗いトンネルの中にいるかのようなコロナ禍に灯されたその炎は、ピンチをチャンスに変える日本の魂のように思えてなりません。

ちなみに、水素の炎は無色です。聖火の炎がきれいに色づいているのは、ナトリウムの炎色反応を利用しています。お味噌汁が吹き零《こぼ》れると炎の色がオレンジっぽくなるのと同じです。

坂田薫の〝明日から使える〟化学雑学講座

「水素爆発って、なあに？」

「水素」と聞くと、原発事故の「水素爆発」を連想し、怖いイメージをもっている方も多いようです。水素エネルギーの普及は本当に大丈夫なのか、不安になりますよね。

まず、「水素爆発」は水素が空気中で濃度4～75％になったとき、酸素と急激に結合することで起こります。

原発事故の水素爆発を考えてみましょう。まず、燃料を封入しているパイプの金属と水が反応し、水素が発生します（金属と水が反応すると水素が発生するのでしたね）。パイプに使われている金属は、通常は水と反応しませんが、事故時の温度は900度以上とか。高温ゆえに反応してしまうのです。そして、発生した水素が原子炉建屋の上部に溜まり、先述の4～75％の濃度に達して水素爆発が起こったのです。

「水素が漏れたら爆発するんだわ！　水素エネルギーなんて断固反対‼」と思ったあなた。ご安心ください。

日常生活で水素濃度が4～75％になることは、まずありません。株式会社イズミズのホームページによると、例えば、通常のバスルーム（空間体積5・8㎥とする）を水素濃度4％にするには、完全密閉の状態（完全密閉できたと仮定）で、100％の水素ガスを毎分60㎤発生させたとして約2日半かかるとのこと。

「そうはいっても、ノルウェー首都オスロ近郊の水素ステーションで爆発事故があったわ‼」

と思ったあなた。あの事故は、水素ステーションで使用していたバルブが不良品だったため、水素が漏れ出し着火したのです。防ぐことができた事故であり、水素社会の実現を諦める理由にはなりません。

みなさんにはありませんか？　偏見を持っていたけど、正しく知った上で、使ってみると良いものだった経験が。

はい、もちろん私にもあります。今、私の左腕に着いているApple Watchです。水素エネルギーも、正しく知り、正しく扱えば、未来の私たちにとって、なくてはならない存在かもしれませんよ。

驚異の新技術により電動車の時代は必ず来る！

『電動車、25年までに13種　自動運転車は来年発売　マツダ』

（２０２１／６／17時事通信社）

マツダは17日、２０２５年までに電気自動車（ＥＶ）など電動車を13車種投入する方針を発表した。来年以降、日本や欧州、米国、中国などで順次発売する。また、来年には自動運転車を初めて商品化することも明らかにした。自動車メーカー各社が「脱ガソリン車」の動きを加速させる中、マツダは30年までに生産するすべての車を電動車にした上で、そのうち25％をＥＶにする計画を掲げている。

□2030年の完全移行は無理でも、電動車の時代は必ずやってくる
□フッ化物イオン電池が1回の充電で東京―福岡間を走破可能にする
□走行中の自動車にワイヤレスで給電する技術の研究も進んでいる

電動車の時代は必ず来る

2020年12月。小池百合子都知事は「東京都内で販売する新車を2030年までに脱ガソリン車にする」と表明。2030年代半ばまでを目標とする政府に先駆け、環境対策に取り組む考えを強調しました。「あと10年もないじゃないか」「あまりにも無謀ではないか」といった声が上がるなか、先述のニュースのように、トヨタをはじめとする自動車メーカー各社は「脱ガソリン車」に向け、早速動き出しました。

それに対し、2021年6月。主要7カ国首脳会議(G7サミット)は、大半の新車

販売を2030年までに環境に配慮した車両にする目標を設定する計画を断念。代わりに「内燃機関を有する車」から脱却する取り組みを加速させると表明するにとどまりました。はたして「電動車の時代」は、本当にやってくるのでしょうか。

例えば「10年後に世界中で電動車への移行が完了している」というのは難しいでしょう。しかし「電動車の時代」は必ずやってきます。そして、日本はその先駆けになれるかもしれません。なぜなら、それに向けた素晴らしい研究が、着々と進められているのです。そしてその研究は、みなさんの想像より、きっと、ずっと壮大なものです。

それでは、最先端の研究を通じて「電動車が当たり前になっている未来」を、一緒に覗いてみましょう。

自動車を作るときの廃材を使って水素を作る⁉

電動車の時代に向けた課題の1つが「化石燃料を使わずに電気を作る」です。例えば、トヨタが販売している燃料電池車MIRAI。これは、水素を使って電気を作っています。水素は反応後「水」になるため、クリーンなイメージがありますが、現在、水素を作る過程で化石燃料を使う方法が主流となっています。本当の意味で水素をクリーンエネルギーにするには、「化石燃料を使わず水素を作る」ことが必要なのです。

では、みなさん。『水素社会』のテーマで登場した、化石燃料を使わず水素を作る方法を覚えていますか？　「再生エネルギーを使った電気分解」や「副生水素の利用」などがありましたね。これら以外の方法で注目したいものがあります。それはズバリ！　**「自動車を作るときの廃材を利用して水素を作る」**というものです。

２０２０年、トヨタの協力のもと、高岡市のベンチャー企業アルハイテックにより「自動車製造過程で出るアルミ合金の削り粉」を利用して、純度の高い水素を安定的に作る装置が開発されました。すなわち「自動車を作るときの廃材を使って水素を作り、その水素で自動車を走らせる」ということです。

この装置は、アルミ合金の削り粉を専用の容器に入れ、独自に開発した溶液に浸すと化学反応によって水素が発生するというもので、なんと外部電源は不要。通常、水素は液化させたり圧縮させて輸送していますが、この装置はアルミ合金を使ってその場で水素を発生させるため、輸送費だけでなく二酸化炭素の排出も大幅に抑えられるのです。

それだけではありません。副産物として生じる物質（水酸化アルミニウム）は、セラミックや燃えにくいカーテンなどの原料として利用できます。これこそ、本当のクリーンエネルギーですよね。

2021年5月の北陸中日新聞によると、トヨタだけでなく、工場や教育機関、スポーツ施設などから装置導入の問い合わせが300件ほど寄せられているのだとか。世間の関心が高いことがわかります。

ちなみにこの技術、始まりはジュースやお茶の紙パックなどに用いられる「アルミ付き紙系の一般廃棄物」や、スナックの袋や錠剤のパッケージのような「アルミ付きプラスチック系一般廃棄物」など、その薄さゆえにアルミとして回収するのが難しく、焼却・埋め立て処分され、リサイクル率がほぼゼロだった廃棄物から水素を発生させるという画期的なものでした。

なんと、食品や錠剤などの包装に使用されるアルミニウムは年間約15万トンにもなるのだとか。これを利用せずに処分しているなんて、もったいないですよね。

このように「今まで廃棄していたものを利用して、必要なものを作る」というのは、これからの時代にふさわしい方法だと思いませんか。「たしかにそうだけど、直接私の生活に関わることはなさそうだわ」と思ったあなた。先日、高校生が集めたアルミ缶をこの装置に入れて水素を発生させ、それをトヨタのＭＩＲＡＩに充填して発電し、その電気を使ってお湯を沸かしてお茶を入れるというお茶会のイベントが開催されました。身近なところでこの装置を見る日がやってくるかもしれませんよ。

1回の充電で東京から福岡まで走破!?

次に、電気自動車に注目してみましょう。電気自動車が抱えている大きな課題は「充電」です。現在の電気自動車は充電に時間がかかる上、一度の充電で走行できる距離がガソリン車に比べて短く、通勤や近郊へのお出かけには問題ありませんが、遠出したいときは不安ですよね。

この問題を解決する研究の１つが「電池」です。現在、電気自動車に搭載されているのは、言わずと知れた、日本発の「リチウムイオン電池」です。2019年に吉野彰博士がノーベル賞を受賞しましたよね。エネルギー密度（単位質量もしくは単位体積あたり取り出せるエネルギー）が高く、小型でも乾電池と比べると大容量で寿命も長いため、スマホやPCなどに利用され、欠かすことのできない電池となっています。

しかし、リチウムイオン電池は「発火のリスク」や「枯渇のリスクがあるコバルトを使っているものが多い」などの問題を抱えているとともに、性能も理論上の限界に達しつつあります。

そこで今、リチウムイオン電池に代わる次世代電池の研究が進んでいます。その中の1つが**「フッ化物イオン電池」**です。電池に使われる物質は環境負荷が小さく、資源的な問題はありません。また、フッ化物イオン電池の理論上のエネルギー密度は、なんとリチウムイオン電池の7倍以上！　実用化されれば1回の充電で約1000㎞の走行が可能になるのだとか。すなわち、**1回の充電で東京—福岡間を走破できる**ことになるのです。驚きですよね。

どうしてそんなにエネルギー密度が高いのか

　ではなぜ、フッ化物イオン電池はそこまでエネルギー密度が高いのでしょうか。その答えは、電極にあります。

　まず、リチウムイオン電池の電極は、ビルディングのような作りになっています。例えば5階建のビル（負極ビルと正極ビル）だとしましょう。各ビルの1階から5階までのフロアにはリチウムイオンが収納されています。放電するときには、負極ビルの各フロアから正極ビルの各フロアへリチウムイオンが移動します。充電するときは逆です。

　このように、リチウムイオンを収納するビルをもっているため、電極の重量や容積が嵩《かさ》み、フッ化物イオン電池よりエネルギー密度が低くなってしまいます。しかし、リチウムイオンが移動しても、ビルはほとんど壊れることがないため、繰り返しの充電に強く長寿命の電池になるのです。５００回の充電で容量が60％ほどに減少します。スマホを買って1年半くらい使用すると「最近充電してもすぐに電池なくなっちゃうなあ」なんて呟いた経験ありませんか？

それに対して「フッ化物イオン電池」の電極はビルのような構造を取っていません。ただの塊です。そのため、リチウムイオン電池の電極に比べて重量や容積が小さくなり、エネルギー密度が高くなるのです。また、電極に使っている化合物は、金属1粒に対してフッ化物イオンが複数くっついているため反応に関わるフッ化物イオンの数が多く、効率良く電気を取り出すことができます。

しかし、放電や充電するときは一方の電極からフッ化物イオンが溶け出し、もう一方の電極へ移動し、化合物となって析出します。すなわち、充電放電により電極自体が変化してしまうため、繰り返しの充電に弱いのです。20〜30回の充電で容量が70〜75％まで低下するのだとか。ということは、電気自動車に20回充電すると1000㎞だった走行距離が700㎞にまで落ちてしまうということになります。

しかし、現在、リチウムイオン電池と同じ、電極がビルのような作りのフッ化物イオン電池の開発も進んでおり「エネルギー密度が高く、繰り返しの充電にも強いフッ化物イオン電池」がみなさんの前に登場する日がくるかもしれません。楽しみですよね。

走行中の自動車にワイヤレスで充電⁉

電気自動車の「充電」を解決する研究は他にもあります。それは**「走行中ワイヤレス給電」**です。ワイヤレス給電といえば、スマホや電動歯ブラシなど、生活のなかにも浸透してきましたよね。ただ、ここでご紹介するのは止まった状態でワイヤレス給電するのではなく、「走行中の自動車」にワイヤレスで給電する技術です。聞いただけでもワクワクしませんか?

走行中ワイヤレス給電は、海外では街中や高速道路での実証実験がすでにおこなわれており、日本は一歩遅れを取っていますが、技術の面では負けていません! 東京大学教授の藤本博志博士らの研究チームにより、電気自動車の駆動装置と走行中ワイヤレス給電の受電回路のすべてをホイール内の空間に収納した「インホイールモータ」が世界で初めて開発されました。

駆動装置をホイールに収納することで、タイヤごとの制御が可能になり、雪道でのスリップなどを防ぐことが可能になります。これだけでもすごいですが、さらにワイヤレスで給電するというのだから驚きですよね。

この技術の最大のメリットは**「電気自動車に搭載する電池が減ること」**。少しでも走行距離を長くするには、たくさんの電池を搭載すれば良いのですが、現在、電気自動車に利用されているリチウムイオン電池は「ガソリンに比べると重い」「コストがかかる」「電池を作るための資源」「電池を作るときに排出される二酸化炭素」などの課題があり、搭載量は少ないほど良いのです。

では、どこで走行中ワイヤレス給電をおこなうのでしょうか。藤本博士らの研究によると、街中では走行時間のおよそ4分の1、すなわち1時間のうち15分程度は信号待ちをしているため、信号手前30mの範囲にコイルを埋めれば、かなり高い確率で充電できるとのこと。また、高速道路だと10㎞あたり3㎞の区間にコイルを設置するとバッテリーの電力を消費せずに走行できるようになるのだとか。これなら、充電が不十分な状態で出発しても安心ですね。

大容量電池か、走行中ワイヤレス給電か

しかし、ここまで読んでくださったみなさんは疑問を感じませんでしたか？「大容量の電池ができたら走行中ワイヤレス給電は必要なくない？」と。そう思ってしまいますよね。わかります。実は私も、同じ質問を藤本博士にしてしまいました。藤本博士から返ってきた答えは、次のようなものでした。

「大容量の電池がすべてを解決できるわけではありません。大容量ということは、充電もそれなりに時間がかかるということです。現在の家庭用の電源だと、数日間充電して満タン。急速充電でも3時間程度を要するはずです。現在、急速充電器のある公共の充電スポットは1回30分までとなっているところもあります。30分経つごとに並びなおして充電を繰り返さなくてはいけません。これを避けるために大量の急速充電器を高速道路のサービスエリアに設けるとしたら、サービスエリアごとに変電所を設けるレベルになってしまうでしょう」

なるほど。大容量電池ができたらすべて解決というわけにはいかないですね。

電動車の時代では、いくつかの技術が上手く共存しているのではないでしょうか。例えば、長距離を走る大型車は燃料電池車。生活の中で長距離走行することがある人は大容量電池を搭載した電気自動車。近郊のみで使用する人は小型の電池だけを搭載した電気自動車。ただし、いずれもフル充電で出かける必要はありません。走行中ワイヤレス給電があるから。すべての技術が揃うと、誰もが豊かな生活を送れる電動車の時代がやってきそうですね。

困難な挑戦……でも、できる！

藤本博士によると「2025年までにタイヤ1輪あたり25kWを2輪分、すなわち合計50kW電力を伝送効率90％以上で送る技術の開発」が目標とのこと。「それってすごいの？」と思ったあなた。想像してみてください。例えば、地面に埋められた長さ1mのコイルの上を時速36kmで走行すると通り過ぎるのにかかる時間はたったの0・1秒！　このあいだに自動車がきたことを検知してコイル状に送電。そして通り過ぎたら放電をやめるのです。極めて難しい挑戦であることがわかっていただけたでしょうか。

「柏の葉スマートシティでの実証実験を成功させ、その後何ヶ所でも成功させていく。**その結果をもって国際的に提案するのが、われわれの道だと思っています**」

これは、テレ東BIZのインタビューでの藤本博士の言葉です。私はこの言葉に強い信念を感じます。きっと、やり遂げてくれると信じています。

スピードは違っても、目指す場所は同じ

電動車の時代にしても、水素社会にしても「そんなものは無理に決まっている」という意見を目にすることがあります。その意見の理由として「○○ができていない」「○○の問題が生じる」といったことが述べられていますが、研究者はそれらをもっともっと早い段階から見つめ、真剣に考え、それに向けたさらなる研究を着実に進めているのです。

私たちは、今、目の前にある技術と比較してしまいがちですが、その技術だって、何

十年もの時を経て今の姿になっているのです。そんな、何十年もかけて完成した技術とこれからの技術を比較して「不完全だ」と感じるのは当然のことだと思いませんか。

電動車の時代1つとっても、関わるすべての技術が同じスピードで完成されるわけではありません。欠けている部分を見つけ「できない」と言ってしまうのは簡単ですが、それらを可能にする技術を開発することは、簡単ではないのです。

そのような背景を知った上で、様々な研究や技術開発を応援し、完成された未来を想像してワクワクできる人が日本の社会に溢れることを、私は願っています。

最後に、ちょっとだけ、想像してみてください。今まで捨てられていたものから、新しいエネルギーが生み出される社会。1回の充電で1000km走行可能な電池がある世界。走行中に知らぬ間に充電されていく道路。それらはすべて、人間が考え出した実現可能な技術なのです。

坂田薫の〝明日から使える〟化学雑学講座

「ガソリン車より電気自動車のほうが古くからあるって本当？」

はい。本当です！「電気自動車」という言葉を聞くようになったのは、近年のことのように感じてしまいますが、実際はガソリン車より早く開発されています。１８００年にイタリアの物理学者・ボルタによって電池が発明されていることを考えれば、不思議なことではありません。

では、人類初の電気自動車はどんなものだったのでしょうか。東海大学教授の森本雅之博士は、論文「我が国で最初に走った電気自動車」のなかで、最初に走った電気自動車はスコットランドのアンダーソンの馬なし馬車の実験（１８３０年代）ではないかという見解を示されています。

その馬なし馬車の実験から始まり、電気自動車はどんどん普及していきます。なんと、アメリカでは電気自動車が主流だった時代もあるのです。アメリカの国勢調査によると、１９００年にアメリカで生産された自動車のうち28％が電気自動車で、販売総額はガソリン車と蒸気自動車の合計額を上回っていたとのこと。

もちろん、地球環境を考えてのことではありません。ガソリン車や蒸気自動車に比べて操作が簡単だったこと。また、ガソリン車や蒸気自動車のような騒音や振動、臭いがなかったことが理由とされています。

その後、ガソリン車の操作が簡単になったことや価格が大幅に安くなったことを受け、1912年に生産のピークを迎え、1935年頃までに衰退しています。ガソリン車の勢いが、いかにすごかったかがわかりますね。

そして今、人類は地球環境のため、ガソリン車を手放し電動車への移行を進めています。1900年代の人たちが大容量電池や走行中ワイヤレス給電を見たら、どんな顔をするでしょうか。

なんて想像していたら、ワクワクしてきました。この歳まで、自動車にはまったく興味がありませんでしたが（大学生のとき「セダン」は自動車のブランドだと思っていて恥ずかしい思いをしたくらいです）、電動車の時代を楽しむために、お仕事が一段落したら自動車の免許を取りにいってきます。

残りが気になる？「命の回数券」テロメア

『万博「大阪パビリオン」　未来の健康・医療を経験』

（2021／8／23日経新聞）

大阪府・市や関西の経済団体で構成される2025年日本国際博覧会大阪パビリオン推進委員会は23日、25年国際博覧会（大阪・関西万博）で大阪府・市が出展するパビリオンの完成イメージなど概要を発表した。最先端の医療技術などを駆使したコンテンツを提供することを想定する。目玉の1つが来場者の健康状態を自動で診断する施設「アンチエイジング（老化防止）・ライド」だ。

□テロメアとはＤＮＡの末端。遺伝子情報を保護するために存在する
□細胞分裂をするたびテロメアは短くなり、やがて分裂を停止する
□「テロメアのしっぽ」の長さで「遺伝子疲労度」を測定するビジネスも！

最近、老けたんじゃない？

「……なんか最近、老けたなあ」。朝、目覚めて洗面台の前に立ち、鏡に映る自分を見てそうつぶやいたことはないでしょうか。

もしかしたらそれは、「仕事でストレスが重なった」「子育てで連日ほとんど眠れない」「日焼け対策を怠ってしまった」などで、回数券を使いすぎたのかもしれません。

何の回数券かって？　それは、誰もがもっている**「命の回数券」**。研究により、この回数券は、老化だけでなく、ガンや心筋梗塞、認知症などの病気にも関係することがわかってきました。他人事ではありませんね。

「回数券がなんだかよくわからないけど、仕事と子育てで毎日ストレスだらけだから、きっと私の回数券はほとんど残ってないわ！」と思ったあなた（私のことです）。大丈夫ですよ。研究により、回数券を補充する方法もわかっています。しかも、お金をかけずに！　人類の願望といっても過言ではない「アンチエイジング」。「若返りたい」「老けたくない」という思いを追求することは、結果的に健やかな肉体を手にいれるだけでなく、強い心をもつことにつながるかもしれません。「もうとっくに諦めた」なんて言っていないで、このまま、「命の回数券」に関する研究のお話を読み進めてみてください。

自分は一体、何者なのか

みなさんの体を作っている約37兆個の細胞すべてに含まれている物質、「デオキシリボ核酸」。「ＤＮＡ」という言葉で聞くことのほうが多いかもしれませんね。このＤＮＡには、本にすると3万冊以上に匹敵する膨大なデータが記録されています。何のデータかって？　一言でいうなら「人間1人を作りあげるために必要なデータ」です。

その膨大なデータのうち約2％は、皮膚、髪の毛、筋肉、臓器など、みなさんの体を作っている「タンパク質の設計図」で、そのほぼすべてが解明されています。「たった2％！」と思うかもしれませんが、みなさんの体を作っているタンパク質は、ざっと10万種類。それらすべての設計図です。これだけでも膨大ですよね。

では、残りの98％は何のデータなのでしょうか。今、この98％の部分の研究が進み、少しずつ解明されています。例えば「カフェインの分解能力に関するデータ」。「早く分解できる」というデータを持つ人にとってカフェインは体に良いですが、「分解に時間がかかる」というデータを持つ人にとっては心臓に負担がかかるのだとか。たしかに、「カフェインは体に良い」と書いてある記事もあれば「体に悪い」と書いてあるものもありますよね。結局、どっちも正しいのです。その人のDNA次第といったところでしょう。

DNAに記されたデータからわかることは、「コーヒー（カフェイン）が体に合う、合わない」といった小さなことだけではありません。ある程度の性格だってわかるのですよ。例えば「運動」「意欲」「快楽」に関する神経伝達物質「ドーパミン」。ドーパミンに関するデータが短い人はドーパミンの影響を受けにくく「好奇心が弱い」。言い換えれば「地道」な性格の人とわかるのです。アメリカではこうした性格のデータを企業の人事配置や教育方法、スポーツ種目の適性などに利用しているのだとか。さすが、アメリカらしく合理的ですよね。

そして驚くことに、DNAのデータから顔さえも精密に再現できるまでになりました。まだ研究途上ですが、アメリカではすでに未解決事件の犯罪捜査に利用されているようです。未来の日本でも、「この顔見たら110番」のポスターが犯人のDNAを元に作成され、気持ち悪いほどにリアルになっているかもしれません。

このように、DNAのデータにはその人の「体の特性」「性格」「顔」などすべてが記されているため、そのデータを知ることは、自分自身を知ることなのです。「自分はどんな性格なのか。何が得意で何が苦手なのか……」。もちろん、性格や脱毛具合など、環境の影響を受けるものもあるので、データがすべてではありませんが、「自分は一体、何者なのか」をデータとして知っておくと、生きるのが少し上手になるかもしれません。

特に不器用な私はそう思ってしまうのですが、この歳になっても「自分にはこんなところがあったんだ」と気付くこともあり、それが生きる醍醐味なのかなとも感じています。
みなさんはどうですか？　知りたいですか？　データに記されている、自分の正体。

膨大なデータを記録する方法

ところで、ＤＮＡは膨大なデータをどうやって記録しているのでしょうか。本３万冊分ですから、相当な量のデータですよね。実は、ＤＮＡは４種類のパーツが結合してできています。すなわち、膨大なデータをたった４種類のパーツ（Ａ・Ｇ・Ｃ・Ｔと表します）の並び方で記録しているのです。並んでいるパーツの数は約60億個！

想像してみてください。「赤、青、黄、白の４種類ビーズを60億個、つないで一本の鎖を作りましょう」と言われたら、その並び方は「すごい数」になりますよね。人間１人を作り上げるために必要な膨大なデータはこのようにして記録しているのです。

「たしかに膨大なデータは管理できるかもしれないけど、鎖の長さがヤバいことにならない？」と思ったあなた。その通りです。１つの核に入っているＤＮＡは全部で46本ありそれらを全部合わせると、全長は約２ｍ！　みなさんの身長よりも長いですよね。そのすべてが小さな小さな細胞の核１つ１つに入っているのです。いったいどうやって収納されているのでしょうか。

これは、みなさんのお家にあるミシン糸を思い浮かべていただけると早いです。ミシン糸はとても細くて長いですが、絡まないようにプラスチックの芯にきれいに巻きつけてありますよね。同じように、ＤＮＡはタンパク質の芯に巻きつけられ、さらにそれが折りたたまれて収納されています。細胞の核の中でこんな状態になっているなんて、これだけでも神秘的ですよね。

ちなみに、ＤＮＡがタンパク質に巻きついてできる塊を「染色体」といいます。「染色体検査」「染色体異常」など、みなさんも一度は聞いたことのある言葉ではないでしょうか。そして、核の中にある46本の染色体のうち、23本を父親から、残り23本を母親から受け継いでおり、この23本のセットを「ゲノム」といいます。すなわち、みなさんの細胞の核には２つのゲノムが収納されていることになりますね。

DNAの末端を守れ！

ではここで、先ほどのミシン糸を思い出してみましょう。芯に巻きつけられたミシン糸の末端はどうなっていますか？　芯の切れ込みに挟んで、糸の末端数cmが芯の外に飛び出した状態ですよね。そのおかげで、いつでも糸の末端がすぐに把握できます。

同じように、ＤＮＡには2つの末端（自然末端）があります。この自然末端は「末端であること」がきちんと認識され、保護されなくてはいけません。なぜなら、自然末端が保護されていないとＤＮＡ同士が結合し、異常なＤＮＡを生じてしまう可能性があるためです。また、ＤＮＡは紫外線や放射線などにより切断されてしまうことがあります。このとき、切断されたままの状態でいると遺伝情報が失われてしまう可能性があるため、傷の修復がおこなわれるのですが、切断されて生じた末端と、もともとある自然末端が区別できなかったらどうなるでしょうか。自然末端を「切断された末端」と勘違いしてしまうかもしれませんよね。

このような理由から、自然末端は「きちんと認識され、保護される」必要があり、その役目を果たしているものが**「テロメア」**です。靴ひもの末端にプラスチックや金属のパーツがついていますよね。あんなイメージです。このテロメアのおかげで、自然末端は本来あるべき末端だと認識され、保護されているのです。

命の回数券「テロメア」

さて、この「テロメア」には寿命があります。いったいどういうことなのでしょうか。細胞分裂が起こるときDNAは複製されますが、末端部分のみ複製されず欠けてしまいます。すなわち、テロメアが少し欠けてしまうのです。これにより、細胞分裂を繰り返すたびにテロメアは少しずつ短くなります。そしてテロメアがほとんどなくなると、その細胞はそれを認知し分裂を停止します。この状態は「細胞老化」とも言われ、個体の老化に関係していると言われています。

このように「どんどん短くなり、使い切ったら終わり」であることからテロメアは「命の回数券」と言われているのですね。実際、赤ちゃんのテロメアは比べて長く、老人のテロメアは比べて短いことがわかっています。

「テロメアがどんどん短くなるのはわかったけど、テロメアには遺伝情報は入ってないの？　短くなって大丈夫？」と思ったあなた。大丈夫ですよ。テロメアは、DNAを作っている4種類のパーツ（A・G・C・T）のうち3種類（A・G・T）からなる塊「TTAGGG」の単調な繰り返しでできています。当然ですが、そこに重要な遺伝情報は記されていません。なくなっても遺伝情報に影響がないようにできているのです。

テロメアが短くなる原因は年齢だけじゃなかった！

テロメアは細胞分裂のたびに短くなるため、歳を重ねるごとに短くなるのは間違いありません。しかし、テロメアを短くする原因は加齢だけではないのです。

例えば、喫煙者もテロメアが短いことがわかっています。たばこをたくさん吸っていると肺の細胞がダメージを受け、新しい細胞に更新せざるを得ない状況となり、細胞分裂が促進され、テロメアが短くなってしまうと考えられます。そしてテロメアがなくなると、DNAが他のDNAとつながるなどの異常が起こりやすくなるため、がんなどのリスクが高まるのです。

そして、加齢や喫煙以外にも、肥満の人、運動習慣のない人、睡眠時間が短い人、心理ストレスにさらされている人、不規則な食生活や偏食の人、日常的に過度の飲酒をしている人などはテロメアが短いことが研究により判明しています。京都大学教授の石川冬木博士は日経のインタビューで次のようにアドバイスされています。

「日焼けや喫煙、過度の飲酒などで〝回数券〟を無駄使いしないのがいい」

普通に生きていれば、どれか1つくらい当てはまるのではないでしょうか。「うわあぁぁぁ！　全部当てはまっている！　もうダメだ!!」と叫ぶ声も聞こえてきそうですが。どうですか？　特に中高年のみなさん。

コロナ禍、私たちは回数券を消費するばかりの生活になっていたかもしれません。ただでさえ運動していないのに在宅勤務が増えて通勤すらしなくなり、家で飲むビールは意外に美味しく「帰らなくていい」と思うと飲みすぎて、ずっと家にいるせいでパートナーとは喧嘩が増えてイライラ。みなさんも経験したのではないでしょうか。

心を鍛えてテロメアを伸ばす？

回数券を無駄遣いしないためには、「十分な睡眠」「適度な運動」「健全な食事」といったことが必要なのだと、おわかりいただけたと思います。実は、これらに気をつけると回数券を無駄遣いしないだけではなく、回数券が増えるという報告もあります。アメリカの研究によると1週間に5日、30分程度のジョギングをした人はテロメアが伸びたのだとか！　運動習慣がないと難しいことかもしれませんが、週1日からでも始めていくことはできそうですよね。

そして、もっと難しそうなのが「心理ストレス」。心理ストレスは誰もが抱えており、人と関わって生きている限り解放されるのは簡単ではありません。しかし、これに関しても希望が持てる報告があります。それはなんと「瞑想」です。瞑想をしたグループは、テロメアが伸びたというのです。瞑想を通じて心を強くすることで、心理ストレスによるダメージを緩和すると考えられています。

瞑想することは「ストレスの軽減」だけでなく、「集中力を高める」「ポジティブになれる」などの効果もあると言われており、これを機にチャレンジするのはいかがでしょうか。様々な瞑想法がネットで紹介されていますよ。

テロメアのしっぽ？　Gテール！

じつは、テロメアの先端には**「Gテール」**とよばれるしっぽのようなものが付いています。そして、Gテールが長いほどテロメアの強度が高くなります。「テロメアを守っているしっぽ」といった感じでしょうか。さらに、Gテールが短くなると動脈硬化や脳梗塞、認知症といった疾患が発症しやすい状態になることもわかっています。

「自分のGテール。どのくらいの長さなのかなあ」と気になりませんか？　なんと、測定できます！　広島大学教授の田原栄俊博士により、世界で初めてGテールの測定方法が開発されました。これは、Gテールに特異的に結合する物質を結合させ、その物質の化学発光（反応により光を放出する現象）を利用してGテールの長さを測定するというもので、博士が立ち上げたベンチャー企業「ミルテル」で商品化されており、すでに様々な病院に導入されています。

ミルテルのホームページによると、Gテールの長さを測定することで「遺伝子疲労度」がわかり、それをモニターしながら医師のアドバイスのもと生活習慣を改善し、Gテールを伸ばすことができるとのこと。自費診療になるため数万円かかるようですが、今の自分のGテールの状態を知ることが、生活習慣を見直すひとつのきっかけになるかもしれませんね。

目標に向かって邁進する

私たちはいつも、「老けたくない」「若返りたい」と言いながらも、長年続けてきた生活習慣を改めることはなかなかできません。歳を重ねるごとに改めるのが難しくなっているようにも思います。また、「よしやろう！」と決めても継続することは簡単ではありませんよね。

田原博士は広島大学のインタビューで「研究継続において大切なこと」として次のよ

うに述べています。

「目標に向かって邁進する力です。そして、**その目標は平凡なものではなく『お！　面白いな』といえるものであることです**（中略）そういうテーマであればこそ、興味を強く持ったまま取り組んでいくことができます。テロメアやＭＩＲ－22の研究は、まさにそれです」

自分自身がワクワクできる目標であるからこそ、継続が可能なのです。漠然と「痩せる」ではなく「フェンディの毛皮が似合う体型になる！（私の目標です）」といった、想像するとにやけてしまうような目標を持つことが、きっと継続するチカラになるはずです。

坂田薫の〝明日から使える〟化学雑学講座

「緑茶を飲むと痩せるってほんと？」

日本人が長寿の理由は日本食が寄与しているともいわれていますが、緑茶もそのなかの

1つですよね。緑茶に含まれるカテキンには抗肥満作用があるため「痩せる」というよりは「太りにくい体質になる」と言ったほうがいいかもしれません。

「よし！　早速、緑茶を買ってこよう！」と思ったあなた。最後まで読んでから買いに行ってください。もう1つ、一緒に買って来て欲しいものがあるのです。

2021年10月、九州大学と北海道情報大学の研究チームにより「緑茶の肥満予防効果をより増強させる方法」が発表されました。

その方法とは、緑茶と一緒に柑橘類に含まれるポリフェノールを摂取するというもので、柑橘由来のポリフェノールが緑茶の肥満予防効果を増強させた、という結果がでています。

それだけではありません！　疫学調査では「緑茶と柑橘類の併用摂取は、がんの発症リスクを低下させる」ことも示されていたのだとか。

「緑茶と柑橘類……日本人の冬の定番やないか！」と思わず突っ込みたくなりますよね。そうです。こたつに入って、お茶をすすりながら、手が黄色くなるまでみかんを食べる。あれはダラダラ過ごしているようで、実は肥満を防いでいたのです。

みなさん、この冬は日本人の定番の過ごし方を積極的に実践してみてはいかがでしょうか。さっそく、緑茶とみかんをセットで買いに行きましょう。え？　私ですか？　私は、すでに大量買い済みです。

肌にくっつくデバイスが超高齢化社会を救う

『極薄シートで心電図測定　皮膚に張り付け1週間　東大』

（2021／9／7時事通信社）

ごく薄く、自然に皮膚に張り付くシートに金箔を電極としてコーティングし、心電図を1週間測定できたと、東京大学大学院工学系研究科の横田知之准教授や染谷隆夫教授らの研究チームが7日発表した。伸縮性や耐久性、通気性があり、蒸れたりかぶれたりしにくいのが特徴。論文は米科学アカデミー紀要に掲載される。横田准教授によると、今後、シートに無線回路や電源を載せるほか、温度や圧力など測定項目を増やし、体に装着して病気や体調不良を早期発見できる装置への応用を目指すという。

□薄くて丈夫なナノシートで粘着剤なしでも皮膚に貼り付く電極が誕生
□1週間後も貼り付いたままの理由は「ファンデルワールス力」にあり
□皮膚に貼り付けるフルカラーディスプレイの開発も進んでいる！

皮膚に貼り付ける電極⁇

金色に光るそれは、やわらかく、世界最薄・最軽量。厚さはなんと、170nm（1nmは1mの10億分の1）以下。粘着剤を使わなくてもピタリと皮膚に貼り付き、パッと見、金色のタトゥシールかのよう。しかし、タトゥシールに比べてあまりに薄く、貼り付けた状態でも皮膚のキメがはっきりとわかる。その薄さから、通気性に優れており本来の皮膚呼吸が可能。汗による炎症反応やムレの心配もありません。にもかかわらず、伸縮性・機械的耐久性も充分。皮膚の伸縮や日常生活における「こすれ」などに強く、連続した使用にも耐えられるのです。みなさん、これ、なんだと思いますか？　その正体は、日本の研究チームにより開発された**「皮膚に貼り付ける電極」**。皮膚に密着することで高精度な生体信号を計測できるのです。例えば、心電図。この電極を使って、精度を保ったまま1週間連続して心電図を計測することに成功しています。

「で？　この電極、健康な僕に何か影響ある？」と思ったあなた。病気になってどうするか、ではなく、病気にならないようセルフケアができたら素敵ですよね。病気や体調不良の早期発見の目的で、未来では健康な人でもみんな、この電極のようなスキンセンサーやスキンディスプレイを貼り付けて生活しているかもしれませんよ。ＳＦ映画みたいで、ちょっとワクワクしませんか？

そして、この技術。超高齢化社会が抱える問題を解決できる可能性だって秘めているのです。親の介護が必要になるとき、歳を重ねて自身が要介護になるときが、いつかやってきます。他人事ではありませんよね。

スキンセンサーで測定できる生体情報のデータは、人間に何を教えてくれるのでしょうか。スキンエレクトロニクスは、未来をどう変えていくのでしょうか。一緒に未来の世界を覗いてみましょう。

薄いのに高耐久性⁉

この皮膚に貼り付ける電極。厚さ100nm以下の「ナノシート」に薄膜金をコーティングしてできているのですが、貼り付けても皮膚のキメがわかるほどの薄さでありながら、伸縮性・高耐久性を兼ね備えているのはなぜでしょうか。

その秘密は「ナノシート」にあります。このナノシートは、シリコーンゴムの一種である「ジメチルポリシロキサン」という柔らかい素材の上に、弾性を持つポリウレタンのナノファイバーを数層重ねることで強化し、作られているのです。

東京大学のホームページによると、ナノシートが支えることができる液体の重さは、なんと、自身の重さの7万9千倍！　そして、繰り返しの伸縮（40％伸ばすを1000回）における劣化もわずか！　その薄さからは想像できないくらい、丈夫なのです。

ちなみに、私たちは「分厚い＝強い」「薄い＝弱い」という先入観を持ってしまいますが、必ずしもそれが正解とは言えません。例えば、「曲げたときの歪みに対する強さ」は、分厚いものよりも薄いもののほうが優れています。下敷きのようなある程度の厚みを持つものは曲げていくとペキッと割れてしまいますが、薄い食品用ラップは曲げても割れることはありませんよね。薄くすることで得られる強さもあるのです。

粘着剤がないのに、どうして貼り付く？

この電極の驚くべき点は、薄さだけではありません。粘着剤を使っていないのに皮膚に貼り付くことです。粘着剤を使用する電極は、連続した使用により粘着力が低下。精密な計測が困難になります。しかし、この電極は貼り付けて1週間後も、貼り付けた直後と同等の計測ができたとか。いったいなぜ、皮膚に貼り付くのでしょうか。

その答えは、ズバリ！「ファンデルワールス力」です（一度でも高校で化学を学んだ人にとっては「懐かしい!!」と感じる語句ではないでしょうか。コテコテ文系のかたは今から一緒に勉強しましょう）。

例えば、プラスの電気を持っている粒子と、マイナスの電気を持っている粒子のあいだに引力が働くのはイメージできますよね。プラスとマイナスは引き合いますから。それに対して、ファンデルワールス力は、プラスでもマイナスでもない（電気的中性といいます）粒子のあいだにも働く引力です。ちょっと不思議な感じがしますよね。電気的中性の粒子同士が引き合うなんて。なぜでしょうか。

私たちは人と関わりながら生きているので、日々の生活の中で精神的に不安定になる（イラっとする）瞬間がありますよね。電気的中性の粒子も、1粒で存在しているわけではなく、周りには常にたくさんの粒子があるため、不安定になる（プラスマイナスの偏りを生じる）瞬間があります。イライラは伝染するものです。周りにイライラした人がいると、こっちまでイライラしてしまうように、プラスマイナスの偏りを生じた粒子の周りに存在する粒子も、その影響を受けてプラスマイナスの偏りを生じ、お互いに引き合うのです。

この「プラスマイナスの偏り」は小さなものなので、ファンデルワールス力は他の結合に比べると非常に弱い結合です。ナノシートと皮膚のあいだに働く結合が、この弱い結合だからこそ、剥がすのも簡単で、皮膚を傷つけることがないのでしょう。

ちなみに、みなさんのお家にも必ずある食品用のラップ。お皿のふちにピタッと貼り付きますよね。これも、ファンデルワールス力が要因の1つなのですよ。接触する面積が大きいほど、ファンデルワールス力も広い範囲で働き、くっつきやすくなります。ガラスやプラスチックの器にはピタッと貼り付くラップも、表面に凹凸や隙間の多い木製の器には貼り付きませんよね。

他にもある！　貼り付けるデバイス!!

薄くて丈夫で皮膚への負担も少ない、この電極。今後はシートに無線回路や電源をのせ、測定項目も増やしていくとのことですが、実用化されたら、私たちの生活はどのように変わるのでしょうか。その未来を覗く前に、同じチームによって研究されている技術をご紹介します。

1つ目は、皮膚に接触させるだけで指紋・静脈の撮像、脈波・動脈血酸素飽和度（以下SpO_2）などの生体情報を計測できるシート型のイメージセンサーです。指紋や静脈は、すでに生体認証に利用されています。コロナ前、私が毎週のように通っていたゴルフ場でも、チェックインは静脈認証でした。このように、通常は「指紋だけ」「静脈だけ」の認証ですが、このセンサーを使えば両方可能なため、認証エラーが減るとのこと。

また、SpO_2はコロナ禍、自宅療養中のご自身やご家族の状態把握に活用した方も多いのではないでしょうか。一時期、家庭用のパルスオキシメーターが品薄になっていましたよね。このように、生体情報だけでなく生体認証まで1枚のシートでできるとなれば、様々なシーンでの利用が期待できます。

そしてもう1つ。薄型で伸縮自在の皮膚に貼り付けるスキンディスプレイです。硬い素材（マイクロLEDなどの電子部品）と柔らかい素材（伸縮性のある配線）をゴムシートの上に混載させる独自の技術を開発し、薄型で伸縮自在なスキンディスプレイの試作に成功しています。厚みはたった2㎜。しかもフルカラー！　伸縮自在のため、人の動きを妨げることなく画像やメッセージを表示できるのです。現在、スマホの画面やアップルウォッチで確認しているメッセージを、手の甲に貼り付けたディスプレイで確認する日が来るかもしれませんよ。

スキンエレクトロニクスがもたらす未来

では、未来の世界を覗いてみましょう。

みなさんは今、フルマラソンに出場中です。年齢的なこともあり少し不安でしたが、出場を決意しました。一番の決め手になったのは、スキンセンサーで読み取った情報を会場内で医師がモニタリングしており、危険な予兆があると駆けつけてくれるためです。もちろん、手の甲に貼り付けているスキンディスプレイにも、自分の生体情報は表示されています。先ほど、脱水症状の警告が出て水分補給をしたところです。

そして、マラソンは自分自身との戦い。最後まで走り抜けると心に決めていたのに、後半、あまりに苦しく「リタイア」の文字が頭に浮かんだ……そのとき、スキンディスプレイに家族や同僚から「あと少し！」「がんばれ！」のメッセージが！　……なんて安っぽいドラマみたいになってしまいましたが、スキンセンサーとスキンディスプレイを合わせて使うことで、体の不調をいち早く知り、対処することが可能になります。そして、大切な人からのメッセージを肌の上で受け取れるのも、なんだかロマンチックですよね。

そして、日本が直面している超高齢化社会。総務省のデータによると、2021年の日本の高齢者の割合は世界で最も高い29・1％。2040年には35％を上回ると予想されています。

みなさんが高齢者になったとき、すべての高齢者が病院や介護施設に入ることができるでしょうか。きっと、コロナ禍のように、多くの高齢者は自宅療養になるでしょう。一人暮らしの高齢者にとって、自宅療養は寂しく不安が大きいはずです。また、家族と一緒に住んでいても、家族の負担や心配が大きいことは想像できますよね。

もし、スキンセンサーで生体情報を常に測定し、そのデータを病院の担当医師や看護師がモニタリングできる状態にあり、何もなくても1日に1度、医師や看護師からスキンディスプレイにコメントが届けば、一人暮らしの方も、同居しているご家族も精神的負担がかなり減るのではないでしょうか。また、事前に予兆を察知できれば、高齢者の孤独死も減っていくことでしょう。

そもそも、スキンセンサーで日々健康管理している世代の高齢者は、大病になる前にセルフケアできるでしょうから、「健康な高齢者が増える」超高齢化社会となり、現在想定されている医療費より少なくてすむ可能性も充分に考えられます。

多くの高齢者が健康で、元気にお仕事や趣味を楽しんでいる未来を思い描いたとき、「超高齢化社会が抱える様々な難題も、克服していけるのではないか」と、私は希望を感じるのですが、みなさんはいかがですか。

科学的な計測法で、人間の本質を知る

スキンエレクトロニクスの研究開発をおこなっている東京大学教授の染谷隆夫博士はVacuum Magazineのインタビューで次のように述べています。

「ウェアラブルデバイスの将来の延長として、例えばストレスをどのように感じ、そのときの血圧の上がり下がりなどの、様々な症状により、たくさんのデータが集まってい

く。そのデバイスを介して集まったデータによって、**人間の行動や本質に科学的な根拠を与えて計測することができるようになっていくことでしょう**」

今まで私たちは、病気になったときだけ病院のベッドの上で生体情報を測定してきました。すなわち、病気の人間のデータしか知らないのです。

しかし、スキンエレクトロニクスが当たり前になった未来では、日常生活における生体情報をデータとして集めることができます。なんでもない日常の中での生体情報は、本来の人間のデータといっても過言ではありません。このデータを集め、分析していくことで、人間の本質に近付くことができるのかもしれません。

そしてそれは、毎日自分のデータを見ている人にとって、自分の本質に近付くこと、自分の内面を知ることにつながるかもしれません。「いつもあのお店の前を通るとき、必ず心拍が上昇するのはなぜだろう……あっ、そうか!」と自分の生体情報のデータから、無意識の自分を意識し、知ることになるかもしれません。

また、毎日家で家族の介護をしている人は、日々の生体情報のデータから「こういうときは寝返りさせてほしいときだな」と意思表示できなくなった家族の、伝えたいことを知ることができるかもしれません。

科学技術により、私たちは、より豊かな生活を手に入れてきました。今まで1時間かけていたことが5分で終わるようになり、今まで人の手でおこなっていたことが、無人でできるようになる。このスキンエレクトロニクスは、より豊かな生活だけでなく、まだ知らない私たち人間のことを教えてくれる新しい技術になるかもしれません。

坂田薫の〝明日から使える〟化学雑学講座

「ヤモリが壁や天井から落ちないのもファンデルワールス力って本当？」

はい。本当です！

ヤモリは足に吸盤をもっているわけでもないのに、壁やガラス窓に張り付いて、落ちることなく歩き回ることができますよね。その秘密は、なんとファンデルワールス力！

ヤモリの足の裏の表面には、人間の髪の毛と同じくらいの太さの剛毛がたくさん生えています。そして、剛毛を拡大すると、さらに細いヘラ状の毛に分かれていることがわかります。これらの毛が壁の表面の凹凸にピタリとはまり、毛と壁のあいだにファンデルワールス力が働くため、落ちることなく動き回ることが可能に。たしか、「接触する面積が大きいほど、ファンデルワールス力も広い範囲で働き、くっつきやすくなる」でしたよね。これだけたくさんの細い毛があれば、表面積の広さは相当なものでしょう。だからこそ、しっかりと壁に張り付くことができるのですね。

こんなにすごいヤモリの足の裏。人間が真似しないわけありません。もちろん、あります。その名も「CNTヤモリテープ」。CNTってどこかで聞いたことありませんか？　そうです！　カーボンナノチューブ！　ヤモリの足の裏の毛をカーボンナノチューブで再現しているのです。

この「CNTヤモリテープ」。もちろん粘着剤を使っていないため、今までの粘着テープが適用できなかった環境や用途での活躍が期待されています。

余談ですが、生まれてから高校を卒業するまで私が過ごした実家は、ヤモリがよく遊びに来ていました。窓にピタッと貼り付いているのがとにかく気持ち悪くて、最後まで仲良くなることはありませんでした。「気持ち悪い」ではなく「ファンデルワールス力を使いこなしている」という視点で見ることができれば、私にとってヤモリは尊敬するお友達になっていたかもしれません。

mRNAワクチンはバイオテクノロジーの最高傑作！

『コロナワクチン3回目接種、12歳以上全員対象　厚労省方針』

（2021／10／28朝日新聞）

新型コロナウイルスワクチンの「ブースター接種」とよばれる3回目接種について厚生労働省は、2回目接種を終えた12歳以上全員を公費接種対象とする方針を決めた。専門家でつくる厚労省の分科会が28日の会合で方向性を了承した。11月中旬に改めて会合を開き、正式決定する。2回目接種後、8ヶ月が経過する人から順に接種券を配布し、打っていくことになる。

□コロナワクチンは史上初のｍＲＮＡワクチン。ｍＲＮＡとはそもそも何か？
□完成が早く、安全性が高い。ｍＲＮＡワクチンの画期的なメリットとは？
□古市泰宏博士が約半世紀前にキャップ構造を発見し、ｍＲＮＡの研究進展

バイオテクノロジーの新時代

２０１９年12月、中国武漢で新型コロナウイルスが発生。瞬く間に世界中へ広がり、死者が増え続けるなか、２０２０年３月、ＷＨＯはワクチン開発について「最短でも１年かかる」との見方を示しました。「ワクチンができるまでの間、どう乗り切ればいいのか」。不安が広がるなか、同年９月、米製薬大手ファイザーが10月中にも新型コロナウイルスのワクチンの使用許可や承認を申請する方針を明らかにしました。

「早い！　大丈夫なの？」というのが、みなさんの正直な印象だったのではないでしょ

うか。そんな心配をよそに、2ヶ月後の11月、ファイザーはワクチンの臨床試験について、「90％を超える予防効果がある」と発表。「いったい、どんなワクチンなのか」その詳細をテレビで頻繁に見かけるようになったのも、この頃だったように思います。

突如現れ、世界中を驚かせたワクチンの名は**「ｍＲＮＡワクチン」**。初めて聞く名前に戸惑いながらも、「ゲノム編集技術」のノーベル化学賞受賞と重なったこともあり、「バイオテクノロジーの新しい時代」の到来を感じずにはいられませんでした。

そして、コロナワクチンについては、開発も接種も遅れていた日本。「日本はワクチンではいいところがない」といわれていますが、そんなことはありません。とある日本人博士の発見が、ｍＲＮＡワクチンの開発に大きく貢献しているのです。その名も**「キャップ構造」**。この発見がなければ、ｍＲＮＡワクチンの誕生はあり得ませんでした。

そもそもmRNAとは⁉

私たちの「遺伝情報」はＤＮＡに刻まれています。遺伝情報とは、体を作っている「タンパク質の設計図」のことでしたね。そして、メッセンジャーRNA（以下、mRNA）は「設計図のコピー」です。大切なのでもう一度言います！ **タンパク質の設計図の「原本がDNA」、「コピーがmRNA」です。**

細胞のなかで毎日、このコピーが作られ、そのデータをもとにタンパク質が作られています。この「タンパク質の設計図のコピー」であるmRNAを利用したのが、ファイザーやモデルナが開発した新型コロナウイルスのワクチンなのです。

新型コロナウイルスとmRNAワクチン

みなさんも、テレビなどで一度は見たことがあると思いますが、コロナウイルスには「スパイク」とよばれるタンパク質の突起があります。サッカーボールのような球の表面に、キノコのような突起物がたくさんついたイメージです。

このスパイクが細胞にくっつき、細胞の入り口のロックを解除することでウイルスが細胞内に侵入します。**このスパイクの設計図のコピー、すなわち「スパイクのmRNA」**

が新型コロナウイルスのワクチンです。

スパイクのｍＲＮＡを体内に入れることで、体内でスパイクが作られ、免疫システムが反応し、抗体を作って撃退します。この撃退法を免疫システムは記憶するので、実際にコロナウイルスが侵入してきたとき、スパイクを攻撃して感染を防ぐことができるのです。

「えー。ウイルスの設計図がそんな簡単に細胞内に侵入できるの？」と思ったあなた。その通り！　細胞もそんなにバカではありません。設計図のままでは「なんか変なのがきた！　壊せ壊せ!!」となってしまうので、設計図を細胞の膜によく似た成分（脂質）で包んで紛れ込ませているのです（壊れやすいｍＲＮＡを保護するためでもあります）。

実はこれ、コロナウイルスが脂肪の膜で包まれているのを真似して作られました。人間は古くから「自然界に存在する物質や生き物を真似する研究開発」をおこなってきたため、ある意味、人間の得意分野ですね。

mRNAワクチンの優れている点

ｍＲＮＡワクチンが今までのワクチンより優れている点の１つ目は**「完成が早い」**です。先ほども書きましたが、このコロナワクチン、完成の早さがとても印象的でしたよね。もともと、がんや感染症のためにｍＲＮＡワクチンの開発がかなり進んでいた背景もありますが、それだけではありません。

今までのワクチンは、まず実際のウイルスを入手し、培養します。そしてそのウイルスを弱体化させたり、タンパク質の一部を取り出して作るため時間がかかりました。それに対し、ｍＲＮＡワクチンは設計図のデータが入手できればいいのです。実際のウイルスを手にいれる必要はありません。ネット時代の今、データを入手するなんて簡単なことですよね。

新型コロナウイルスでも、ウイルス発生からデータを入手できるようになるまで、あっという間でした。２０１９年の12月に中国武漢で原因不明の肺炎が流行し、12月末にはＷＨＯに報告。そして翌年の１月10日には、新型コロナウイルスのタンパク質の設計図が公開されていたのです！　しかも、その１ヶ月半後にはワクチンの候補が出来上がっていたのだとか。今までのワクチンとの違いは明らかですよね。

その新型コロナウイルスの設計図、どんなものか気になりませんか。誰でもネットで見ることができますが、ここでほんの一部だけお見せします。

「attaaaggtt tataccttcc caggtaacaa accaaccaac tttcgatctc ttgtagatct gttctctaaa cgaactttaa aatctgtgtg gctgtcactc ggctgcatgc ttagtgcact……」

１２０文字ほど抜粋しましたが、実際は全部で2万９９０３文字！　Ａ４で16ページ分もあります。ウイルスだけでなく、私たちの体を作っているタンパク質も同じように、「a」「g」「c」「t」のたった4種類の文字の配列で表すことができるなんて、何度見ても不思議な感じがします。

そして、２つ目の優れている点は**「安全性が高い」**です。今までのワクチンは、弱めているとはいえ実際のウイルスをワクチンとして接種していたため、ある程度のリスクはありました。しかし、ｍＲＮＡワクチンは生き物ではなく、もともと体の中にあるので、物質自体は安全なのです。

そうはいっても、史上初のｍＲＮＡワクチン。やっぱり副反応が気になりますよね。２０２１年5月の段階では、厚労省のホームページに「接種後に注射した部分の痛み、疲労、頭痛、筋肉や関節の痛み、寒気、下痢、発熱等がみられることがあります。こうした症状の大部分は、接種後数日以内に回復しています」「稀な頻度でアナフィラキシー（急性のアレルギー反応）が発生したことが報告されています」とあり、それは現在も変わっていません。

しかし、接種した人が増えた11月現在では、ファイザー、モデルナそれぞれの副反応のデータが表示されており、より詳しく副反応について知ることができるようになりました。ｍＲＮＡワクチン特有とみられる大きな副反応はないようです。ひとまず安心といったところでしょうか（死者も出ていますが、厚労省によると10月29日現在、１２１８件の事例についての報告書とともに「現時点では、ワクチンとの因果関係があると結論づけられた事例はなく、接種と疾患による死亡との因果関係が、今回までに統計的に認められた疾患もありませんでした」とあります）。

mRNAワクチンの問題点

今までのワクチンにはない優れた点をもつｍＲＮＡワクチンですが、当然、問題点もあります。それは「温度管理」。ｍＲＮＡは分解しやすいため、低温での管理が必要なのです。

今までのワクチンの多くは10度以下の冷蔵保存でしたが、最初に発表されたファイザーのｍＲＮＡワクチンの保存温度は、なんとマイナス75度前後。当初は「輸送はどうするのか」「大病院のない地方では町医者がワクチン接種の対応をするのに、この温度管理は困難だ」などと問題になりました。

しかし２０２１年3月、ファイザーは日本での保存条件を緩和したと発表。マイナス20度前後で最長14日の保存が可能となり、輸送や管理の問題が大きく改善されました。それでも、温度管理ができていないワクチンを接種した自治体もあり、他のワクチンに比べると管理に気を遣う必要はありそうですね。

キャップ構造とその役割

人類史上初のｍＲＮＡワクチン。このワクチン開発に不可欠だったのが、新潟薬科大学客員教授の古市泰宏博士による**「キャップ構造」**の発見です。

当時、ＤＮＡがコピーされてｍＲＮＡが作られ、それをもとにタンパク質ができるまでのメカニズムを明らかにするため、世界中で研究がおこなわれていました。そんな中、古市博士はｍＲＮＡの末端に「特殊な構造」があることを見つけます。それが「キャップ構造」です。それは、当時、研究者たちが信じていた末端の構造とは異なるものでした。

その名の通り、キャップ構造（以下、キャップ）はｍＲＮＡの末端にちょこんとついた帽子のような構造ですが、研究が進むにつれ、キャップはただの特殊な構造ではなく、大きな役割を担っていることが判明します。

その役割の1つ目は**「タンパク質の合成における重要な目印」**です。タンパク質の合成が始まる際、合成する場所とｍＲＮＡが結合するのですが、キャップがその目印となっていたのです！　すなわち「タンパク質合成においてキャップは必要不可欠」です。

もう1つは**「mRNAが分解されにくくなる」**ということです。キャップを持たないバクテリアのmRNAは寿命が30秒以下ですが、キャップをもつ高等生物のmRNAは数日間も安定して存在でき、キャップを外すとたちまち分解されてしまいます。書類を綴じているホチキスの針がはずれると書類がすぐにバラけてしまうイメージでしょうか。キャップは、ホチキスの針のような役割もしているのですね。

そして、このキャップ。人間が作るmRNAには付いていないため、人工的に付ける必要があります。当然、mRNAワクチンも例外ではありません。よって、キャップの発見がなければ、mRNAワクチンの開発も困難だったのです。

古市博士は朝日新聞のインタビューで次のように述べています。

「これほどの速さで新型コロナウイルスワクチンが開発され世界中で使われていることは素晴らしい。ワクチンを受けることを楽しみにしている」

研究者でさえ開発が早かったことを賞賛している今回のmRNAワクチン。博士の言葉から、治療薬やワクチンの開発は長い年月と労力、そして費用がかかるのだということを再認識させられます。

技術の進歩は自然界にもたらされている

２０２０年。ｍＲＮＡワクチン誕生により、ワクチンの新時代が始まりました。初めて「ｍＲＮＡワクチン」というワードを聞いてから、その完成まであまりにも早かったため、簡単にできたと感じた人も少なくないでしょう。

しかし、そんなことはありません。始まりは１９９０年代初頭。科学者たちは「ウイルスのＤＮＡやｍＲＮＡの断片を製造し、それを人の細胞に入れるとどうなるのか」と考え、ワクチンとしての効果を期待します。理論上、数日、いや数時間で作ることも可能な遺伝子ワクチンは科学者たちの心を捉えます。そして長い間基礎研究が積み重ねられ、やっと実用化に至ったのです。実用化への最後の後押しとなったのが、新型コロナウイルスの出現でした。

人間の技術は「ウイルスにどう打ち勝つのか」「自然災害からどう身を守るのか」と

いった、自然界から与えられた課題を克服するために進歩してきた、といっても過言ではありません。人類史上初のこのｍＲＮＡワクチンが、最終的に新型コロナウイルスに勝利するのかどうか、本当の意味での結果はまだわかりません。ただ、このワクチン１つとっても、私たち人間は自然界に学び、自然界に生かされているのだと感じずにはいられません。

坂田薫の〝明日から使える〟化学雑学講座

「コロナワクチンは変異株には効かないって本当？」

そんなことはありません！　変異株が広がり、重傷者や死者が増えていると不安になってしまいますよね。でも、心配はいりません。すでに研究されていますよ。

２０２１年５月現在、横浜市立大学の研究グループによると、ファイザーのｍＲＮＡワクチンを２回接種した人の90％以上に、すべての変異株（イギリス株やインド株など）に対し、効果が期待できる抗体が作られていたことが確認されました！　接種さえできれば、変異株に対して大きな不安を持つ必要はなさそうですね。

ただし、大切なことがあります。それは「2回接種」ということです。1回接種後に抗体が作られていた割合は、従来株でも57%。その他変異株は数十%という結果になっています。「2回目の後はかなりしんどい」などと聞きますが、お仕事をお休みしてでも接種したほうが良さそうですね（2021年9月現在では「デルタ株に4つの変異が加わるとワクチン効果が大幅に減る」という大阪大学の研究グループの発表もあり、新たな変異株の出現を想定し、ワクチン開発は進んでいくと思われます）。

さらに「第6波」対策として、この本が出る12月から3回目のワクチン接種も始まる予定です。一日も早い収束を願うばかりです。

おわりに

「日本でこんなに素晴らしい研究がおこなわれていることを伝えたい！」「研究者の方々や、研究者という職業をもっと知ってもらいたい！」という強い気持ちを抑えることができず、周囲の人に話し続けた結果、気付けば、本書の推薦文を書いてくださった堀潤さんの8bitNewsで「SCIENCE NEWS」を担当し、新田哲史編集長のSAKISIRUで記事を書き、そのご縁からこの本の執筆が始まっていました。

「やっと念願の本が書ける！」と最初は意気込んでいたのですが、いざ書き始めると、尊敬する研究者を通して自分自身と向き合うことになり、何度も筆が止まってしまいました。今まで、学習参考書で感情を持たない化学物質や化学反応だけを書いてきた私にとって、初めての経験でした。

書くことを楽しめずPCを開いては閉じる、を繰り返していたとき、担当編集者である岩尾雅彦編集長が「坂田さんは『自分に自信がない』とおっしゃいますが、きっと幼少期から（自分よりも）何かに強烈な興味を抱いていたのではないでしょうか？　あるいはコンプレックスが化学への道に進ませてくれたのかもしれません」と声をかけてくださいました。「ああ、そうか。たしかに、私は幼少期からコンプレックスの塊だったなあ」と客観的に自分を捉え、そしてそんな自分を受け入れると決めてからは、純粋にワクワクした気持ちを持って書き進めることができました。

また、ご縁があった研究者の方々が「(出版を)楽しみにしてるね」と応援してくださったことが、最後まで書き終える大きなチカラになりました。

以下、関わってくださったすべてのみなさまに、心より感謝申し上げます。

世の中に「日本の研究や研究者」を伝えるきっかけを作ってくださったジャーナリストの堀潤さん。創刊のタイミングで記事を書かせてくださり、サマリーで解説するアイデアも出してくださったSAKISIRU編集長の新田哲史さん。モーニングクロスに出演していたときから、私の活動を応援してくださっている東京大学教授の菅裕明博士。

そして、以下、この本でご紹介した私が尊敬する日本の研究者の方々(この本に登場した順に、肩書きは省略して書かせていただきます)。藤田誠博士、谷口慈将博士、香取秀俊博士、飯島澄男博士、井上翼博士、中塚武博士、南條道夫博士、松野泰也博士、

森良平博士、矢野浩之博士、山中伸弥博士、岡野光夫博士、白川英樹博士、板橋英之博士、小泉聡博士、野本貴大博士、藤嶋昭博士、落合剛博士、宮坂力博士、若宮淳志博士、佐々木一成博士、吉野彰博士、藤本博志博士、石川冬木博士、田原栄俊博士、染谷隆夫博士、古市泰宏博士。

いつも坂田薫の一番のファンでいてくれる林。心の支えである、きよしとゆうこ。どんなときも味方でいてくれる母。いつもそばで支えてくれる誠司さんと江梨花。

最後に、この本を手に取ってくださった読者のみなさま。最後まで読んでくださり、ありがとうございました。みなさんがこの本を読んでくださったことが、今後、私が前進していく大きなチカラになります。そして、この本をきっかけに、一人でも多くの人が科学系のニュースに関心をもっていただけるようになると嬉しく思います。

今の豊かな生活がたくさんの科学技術の上に成り立っていること、そして、今の地球が抱える様々な問題を解決できるのは科学技術しかないと知り、興味関心を持つことが、日本の研究と研究者を盛り上げていくチカラになると、私は信じています。

２０２１年11月吉日　化学講師　坂田薫

坂田薫

KAORU SAKATA
化学講師／8bitNews「SCIENCE NEWS」担当

オンライン学習サービス『スタディサプリ』や大手予備校で化学を担当。丁寧でわかりやすい本格的講義で受講生からの人気も非常に高い実力派。また、予備校だけでなく、ニュース番組のコメンテーターやニュースサイト「SAKISIRU」で日本の最先端化学を扱い、わかりやすいと評判が高い。

主な著書に『坂田薫のスタンダード化学』シリーズ（技術評論社)、『坂田薫の化学講義』シリーズ（文英堂)、『坂田薫の１冊読むだけで化学の基本&解法が面白いほど身につく本』(KADOKAWA）などがある。

「家飲みビール」はなぜ美味しくなったのか？

コテコテ文系も学べる日本発の『最先端技術』

著者　坂田薫

２０２１年12月25日　初版発行

発行者　横内正昭
編集人　内田克弥
発行所　株式会社ワニブックス
〒１５０－８４８２
東京都渋谷区恵比寿４－４－９えびす大黒ビル
電話　０３－５４４９－２７１１（代表）
　　　０３－５４４９－２７１６（編集部）

装丁　橋田浩志（アティック）／
　　　金井久幸（TwoThree）
校正　玄冬書林
協力　菅野徹／若林優子
編集　岩尾雅彦（ワニブックス）

印刷所　凸版印刷株式会社
ＤＴＰ　株式会社 三協美術
製本所　ナショナル製本

定価はカバーに表示してあります。

©坂田薫 ２０２１
ISBN 978-4-8470-6667-2
ワニブックスHP　http://www.wani.co.jp/
WANI BOOKOUT　http://www.wanibookout.com/
WANI BOOKS NewsCrunch　https://wanibooks-newscrunch.com/